초등 연산의 기준

칸토의 연산

곱셈구구(2)

머리말

"초등 입학 후 우리 아이가 해야 할 수학은?"

우리 아이가 초등학교에 처음 입학할 때의 모습이 떠오릅니다. 머리도 혼자 감지 못하는 아이가 벌써 초등학생이 되어 많은 아이들과 교실에서 생활한다니 대견스러우면서도 한편으론 '아이가 40분 수업 시간 동안 집중하며 앉아 있을 수 있을까? 소변이라도 보면 어떻게 하지?' 등등 고민이 한가득이었지요.

기대 반 걱정 반으로 하루하루를 보내며 아이는 어느덧 별탈 없이 학교에 잘 적응하는 모습입니다. 걱정이 사라질 즈음 아이는 학교에서 생전 처음 단원 평가라는 시험을 보게 됩니다. 7살 때 100까지 막힘없이 세던 우리 아이라 당연히 100점을 맞았을 거라 생각했지만 아쉽게 한두 개 틀려 옵니다. '실수라고, 다음에 잘하겠지.'라고 넘겨 보지만 100점 맞기는 쉽지 않습니다. 혹시나 해서 "다른 친구들은 어떻게 봤니?"라고 물으면 "누구누구는 100점 맞았어!"라고 자기랑 상관없다는 듯이 무심코 하는 말에 마음이 무너집니다.

아차 싶어 이제부터 친구 엄마들에게 학원, 학습지 등 공부 정보를 수집하며 어떤 선택이 우리 아이에게 최선의 선택일지 갈등과 고민이 시작됩니다. 공부란 것을 제대로 해 보지 못했던 우리 아이는 자기랑 맞지 않는 공부를 부모의 계획에 따르며 어느 순간부터 부모와의 감정싸움이 시작됩니다. 부모님들이 초등 저학년에 많이 겪게 되는 고민거리입니다.

중학교에서 수학을 포기하는 아이들의 상당수가 초등 연산의 기초가 없어서라고 합니다. 자연수, 분수의 사칙연산을 어려워하는 아이들이 정수, 유리수의 사칙연산을 어려워하는 것은 당연합니다.

고등학교에서 수학을 포기하는 아이들의 상당수는 공부하는 습관이 몸에 배어 있지 않아서라고 합니다. 공부 계획을 세우고 공부하는 습관은 학교에서 따로 가르쳐주지 않습니다. 할 줄 아는 아이들만 공부 계획표를 꾸준히 작성하고 실천하지 나머지는 포기합니다. 단시간에 공부습관을 바로잡기는 시간이 너무 부족합니다.

그렇다면 우리 아이가 초등학생 때 해야 할 수학은 무엇일까요?

공부 습관과 수학에 대한 자신감을 기르는 것입니다. 그런데 이 둘은 모두 연산 학습으로 잡을 수 있습니다.

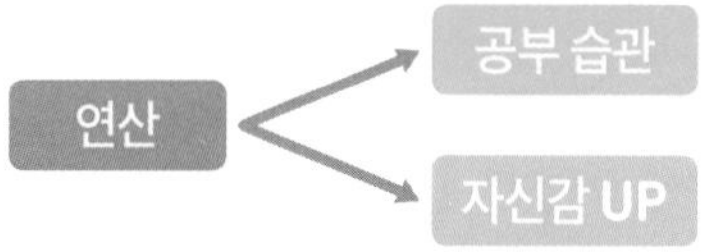

연산은 매일 꾸준히 지치지 않고 하는 것이 핵심입니다. 꾸준한 연산 학습은 연산 실력을 향상시킬 수 있을 뿐만 아니라 앞으로의 공부 습관과 태도를 형성할 수 있는 매우 중요한 학습 방법입니다. 처음에는 개념 위주로 연산의 정확도를 목표로 학습하고 꾸준히 연습하면 속도는 저절로 올라가니 처음부터 속도에 욕심내지 마세요. 그리고 연산 학습과 더불어 공부 시간을 10분, 20분, ……, 60분으로 늘려나가며 공부 체력을 길러 주세요.

연산을 잘하면 무엇이 좋을까요?

수업 시간에 대답도 잘하고 선생님께 칭찬을 받아 자신감이 올라갑니다. 또 아이는 잘하려는 마음이 생겨서 노력하게 되고 성취하게 되며 칭찬을 받게 되는 과정을 되풀이하여 결국 자신감을 넘어 자존감이 올라가게 됩니다.

또한 초등 저학년 수학 내용은 반 이상이 연산이라 연산을 잘하면 저학년 수학을 잘할 수 있습니다. 그리고 도형, 측정과 같은 다른 영역에서 넓이, 부피, 시간, 각도 등을 구할 때에도 연산이 중요하게 사용되므로 결국 수학을 잘한다는 것으로 이어집니다.

초등학교는 대학입시를 준비하는 단계가 아닙니다. 초반부터 무리하게 시작하는 것보다 아이에 맞게 공부 시간과 난이도를 조절해 보세요. 초등 공부 습관과 자신감은 중·고등 시기에 학업 성취를 높여 주는 발판이 될 것입니다. 나아가 하루하루 쌓여 끈기가 되고 인생을 살아가는 지혜가 될 것입니다.

"초등 6년 연산 학년별로 이것만은 꼭 알고 가요."

학년별로 성취해야 할 연산 내용을 미리 살펴보고, 부족한 부분을 정리해 보세요.

자연수	학년	분수·소수
간단한 덧셈·뺄셈 9+3=12 11−5=6	1	
두 자리 수의 덧셈·뺄셈 65+17=82 73−59=14 곱셈구구 2단 ~ 9단	2	
세 자리 수의 덧셈·뺄셈 257+168=425 614−269=345 두·세 자리 수의 곱셈·나눗셈 24×38=912 258÷4=64···2	3	「분수와 소수의 개념」
세 자리 수의 곱셈·나눗셈 347×52 =18044 724÷26 =27···22	4	분모가 같은 분수의 덧셈·뺄셈 $\frac{3}{5}+\frac{4}{5}=1\frac{2}{5}$ 소수 두 자리 수의 덧셈·뺄셈 2.03+3.78 =5.81
자연수의 혼합 계산 27÷3+(12−4)×5=49	5	분모가 다른 분수의 덧셈·뺄셈 $\frac{3}{4}+\frac{1}{6}=\frac{11}{12}$ 분수·소수의 곱셈 $\frac{2}{3}\times\frac{5}{8}=\frac{5}{12}$ 1.25×1.2=1.5
	6	분수·소수의 나눗셈 $\frac{2}{5}\div\frac{4}{7}=\frac{7}{10}$ 9.72÷2.7=3.6

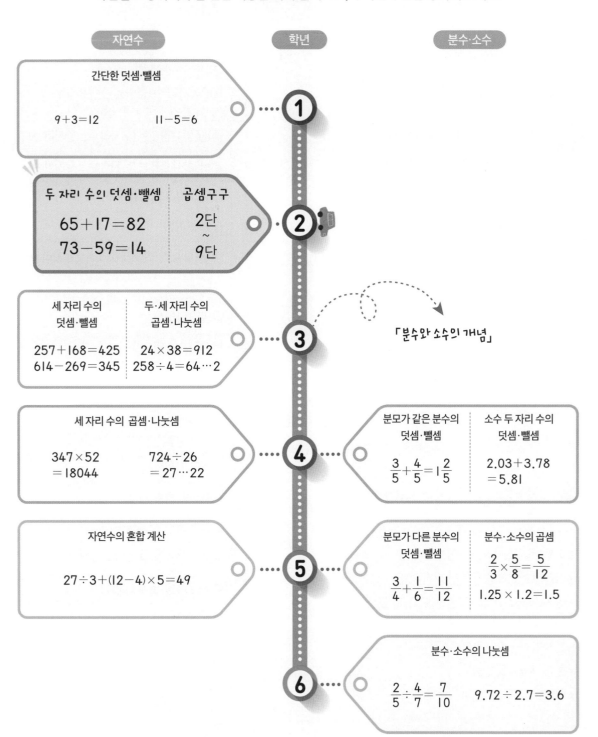

단계별 구성

유아/3단계

단계	권	주제
5세	1	1부터 5까지의 수
	2	6부터 9까지의 수
	3	1부터 9까지의 수
	4	덧셈과 뺄셈의 기초
6세	1	0부터 10까지의 수
	2	10까지의 수에서 더하기·빼기 1
	3	20까지의 수에서 더하기·빼기 1, 10
	4	20까지의 수에서 더하기·빼기 1, 2, 10
7세	1	합이 9까지의 덧셈
	2	9까지의 뺄셈과 덧셈·뺄셈
	3	50까지의 수에서 더하기·빼기 1, 2, 10
	4	받아올림·내림 없는 (두 자리 수±한 자리 수)

초등/6단계

단계	권	주제
초1	1	덧셈구구
	2	뺄셈구구
	3	편리한 계산 전략
	4	100까지의 수, 받아올림·내림 없는 (두 자리 수±두 자리 수)
초2	1	받아올림·내림 있는 (두 자리 수±한 자리 수)
	2	받아올림·내림 있는 (두 자리 수±두 자리 수)
	3	곱셈의 기초와 곱셈구구(1)
	4	곱셈구구(2)
초3	1	받아올림·내림 있는 (세 자리 수±세 자리 수)
	2	나눗셈구구
	3	곱셈과 나눗셈
	4	분수와 소수의 기초
초4	1	큰 수
	2	곱셈과 나눗셈
	3	분모가 같은 분수의 덧셈과 뺄셈
	4	소수의 덧셈과 뺄셈
초5	1	자연수의 혼합 계산
	2	약수와 배수, 약분과 통분
	3	분모가 다른 분수의 덧셈과 뺄셈
	4	분수의 곱셈, 소수의 곱셈
초6	1	분수의 나눗셈
	2	소수의 나눗셈
	3	비와 비율
	4	비례식과 비례배분

칸토의 연산 시리즈

- 연산의 원리부터 재미있는 퍼즐형 문제까지 다루는 기본 난이도의 연산 교재
- 나선형 반복 학습과 확장 커리큘럼
- [칸토의 연산] ➡ [응용 연산]으로 이어지는 기본·심화 연산 학습 설계
- 단계별 4권, 9단계 총 36권 구성
- 한 단계 4개월 완성
- 학년별 교과서 진도와 맞춤 병행

이 책의

구성과 특징

- 하루 2쪽, 매주 5일씩 4주 동안 완성하는 연산 프로그램이에요.
- 연령별 아이의 학습 눈높이와 학습 체력에 맞게 쉬운 난이도와 하루 10분 정도의 학습 분량으로 구성하였어요.

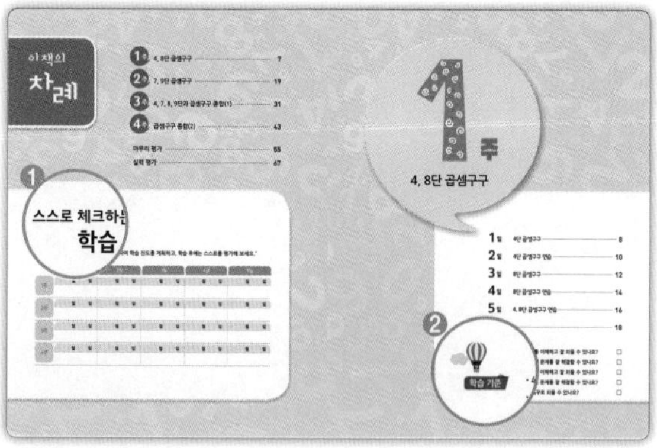

1 학습 안내 무엇을 공부할까요?

❶ 스스로 학습 진도를 계획하고 실천해 보세요.

❷ 이번 주에 꼭 알아야 할 학습 기준을 체크해요. 공부 전에 간단히 살펴보고, 한 주 공부가 끝나면 공부한 내용을 잘 알고 있는지 반드시 확인해 보세요.

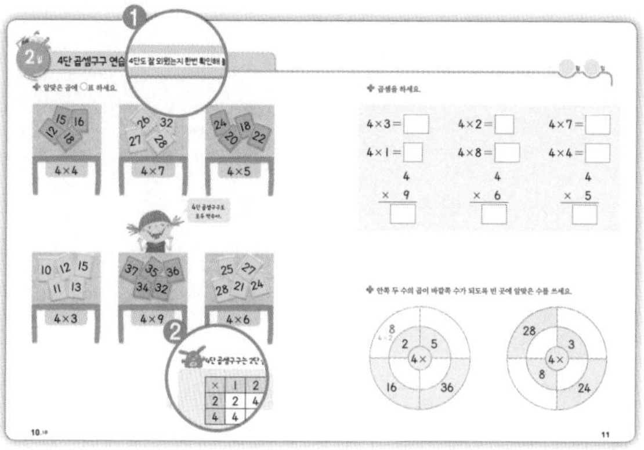

2 일일 학습 매주 5일씩 4주 동안 공부해요.

❶ 일일 학습 목표를 효율적으로 달성하기 위한 학습 목표 및 노하우를 담았어요. 무엇을 공부하는지 미리 알고 가는 공부는 목표 달성률이 훨씬 높답니다.

❷ 연산의 개념, 원리뿐만 아니라 궁금증을 해결할 수 있는 학습 노하우를 꼭 확인하세요.

3 확인 학습

이번 주 배운 내용을 잘 알고 있나요?

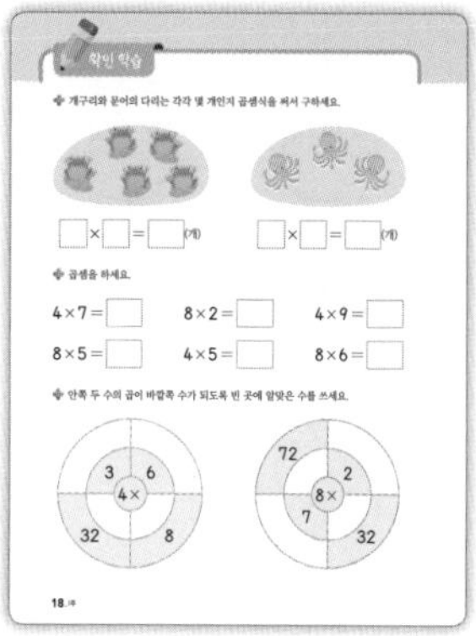

4 마무리 평가+실력 평가

4주 동안 배운 내용을 잘 알고 있나요?

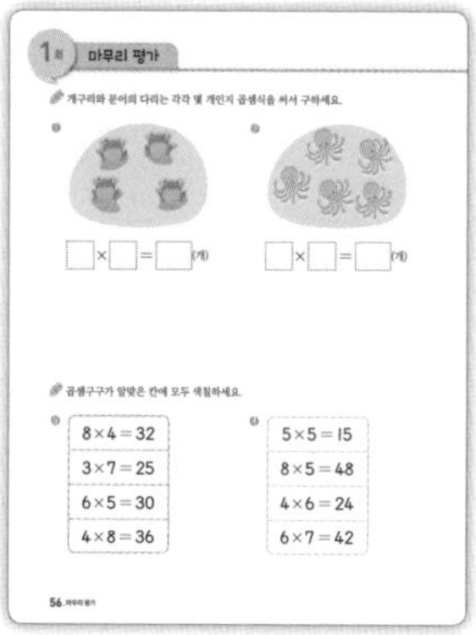

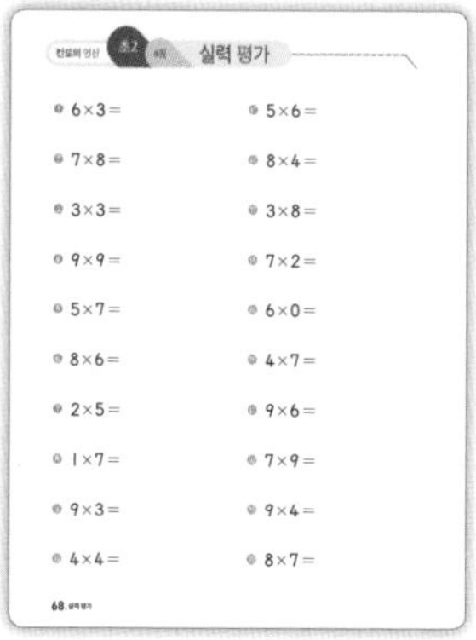

이 책의 차례

스스로 체크하는 학습 진도표

"일일 학습을 시작하기 전에 날짜를 기록하여 학습 진도를 계획하고, 학습 후에는 스스로를 평가해 보세요."

	1일	2일	3일	4일	5일
1주	월 일	월 일	월 일	월 일	월 일
2주	월 일	월 일	월 일	월 일	월 일
3주	월 일	월 일	월 일	월 일	월 일
4주	월 일	월 일	월 일	월 일	월 일

1주

4, 8단 곱셈구구

학습 기준

- 4단 곱셈구구의 원리를 이해하고 잘 외울 수 있나요? ☐
- 4단 곱셈구구와 관련된 문제를 잘 해결할 수 있나요? ☐
- 8단 곱셈구구의 원리를 이해하고 잘 외울 수 있나요? ☐
- 8단 곱셈구구와 관련된 문제를 잘 해결할 수 있나요? ☐
- 4, 8단 곱셈구구를 거꾸로 외울 수 있나요? ☐

4단 곱셈구구 는 2단 곱셈구구에 2를 곱한 수야.

➕ 4단 곱셈구구를 완성하고 4단을 외워 보세요.

4단

$4 \times 1 =$ ☐ 4   사 일은 사

$4 \times 2 =$ ☐   사 이 팔
+4

$4 \times 3 =$ ☐   사 삼 십이
+4

$4 \times 4 =$ ☐   사 사 십육
+4

$4 \times 5 =$ ☐   사 오 이십
+4

$4 \times 6 =$ ☐   사 육 이십사
+4

$4 \times 7 =$ ☐   사 칠 이십팔
+4

$4 \times 8 =$ ☐   사 팔 삼십이
+4

$4 \times 9 =$ ☐   사 구 삼십육

> 얼룩말과 여우의 다리는
> 각각 몇 개인지
> 곱셈식을 써서 구해 봐.

☐ 4 × ☐ = ☐ (개)   ☐ × ☐ = ☐ (개)

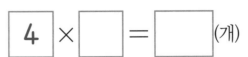

4단 곱셈구구의 수를 차례로 선으로 이으세요.

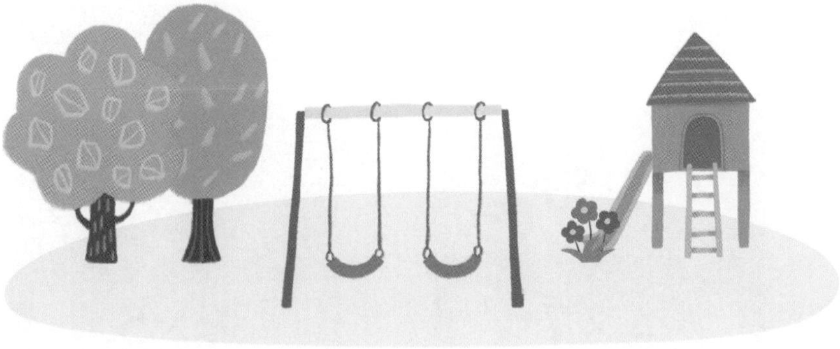

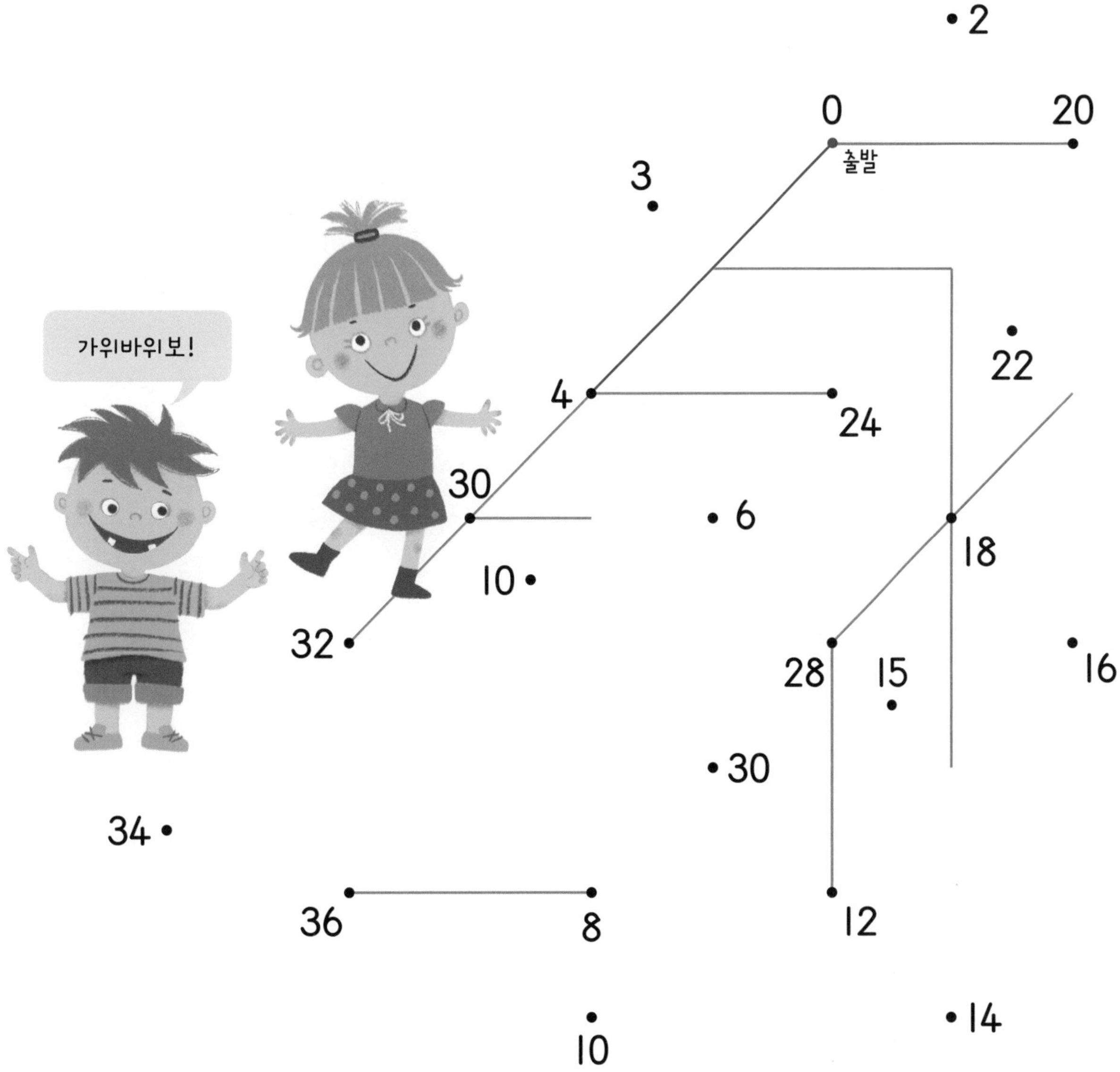
2
0
20
출발
3
가위바위보!
22
4
24
30
6
18
10
32
28
15
16
30
34
36
8
12
10
14

2일 4단 곱셈구구 연습

4단도 잘 외웠는지 한번 확인해 볼까?

알맞은 곱에 ◯표 하세요.

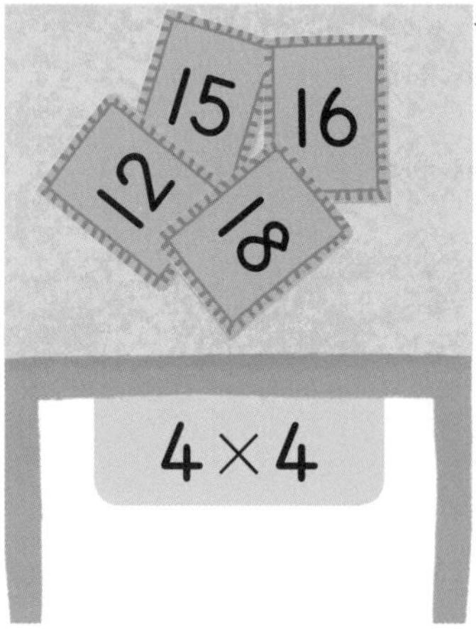
15
16
12
18
4×4

26
32
27
28
4×7

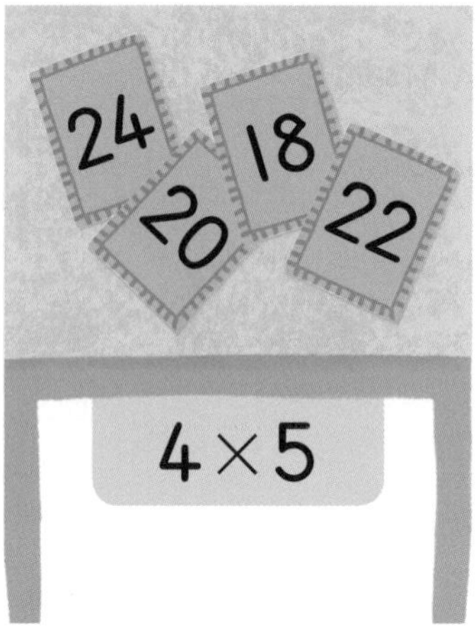
24
18
20
22
4×5

10
12
15
11
13
4×3

37
35
36
34
32
4×9

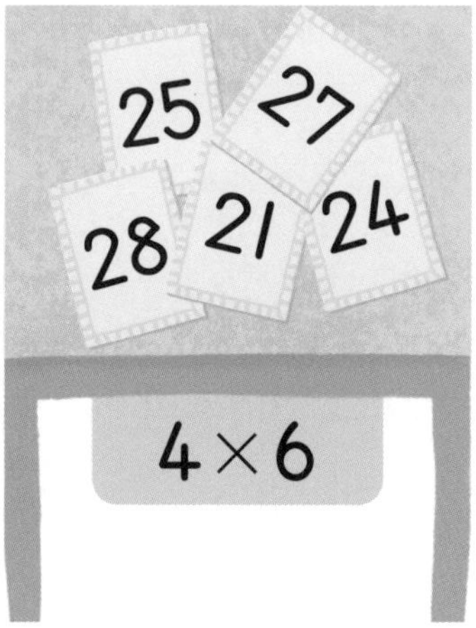
25
27
28
21
24
4×6

4단 곱셈구구는 2단 곱셈구구에 2를 곱한 수야.

×	1	2	3	4
2	2	4	6	8
4	4	8	12	16

×2

✚ 곱셈을 하세요.

$4 \times 3 =$ ☐ $4 \times 2 =$ ☐ $4 \times 7 =$ ☐

$4 \times 1 =$ ☐ $4 \times 8 =$ ☐ $4 \times 4 =$ ☐

$$\begin{array}{r} 4 \\ \times\ 9 \\ \hline \end{array}$$ $$\begin{array}{r} 4 \\ \times\ 6 \\ \hline \end{array}$$ $$\begin{array}{r} 4 \\ \times\ 5 \\ \hline \end{array}$$

✚ 안쪽 두 수의 곱이 바깥쪽 수가 되도록 빈 곳에 알맞은 수를 쓰세요.

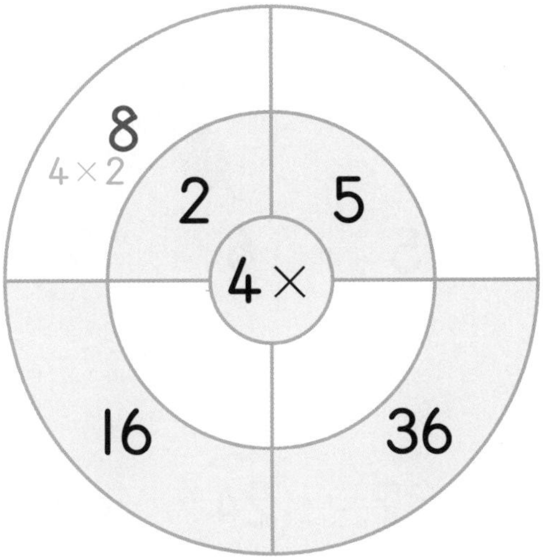

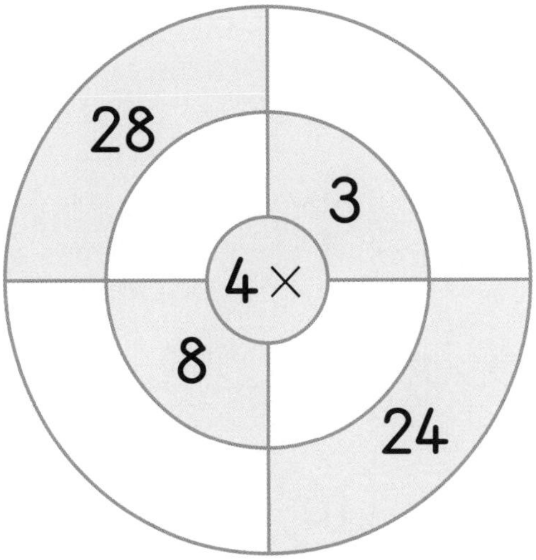

3일 8단 곱셈구구 의 일의 자리 수는 2씩 작아져.

✚ 8단 곱셈구구를 완성하고 8단을 외워 보세요.

8단

$8 \times 1 =$	8		팔 일은 팔
$8 \times 2 =$	16	+8	팔 이 십육
$8 \times 3 =$		+8	팔 삼 이십사
$8 \times 4 =$		+8	팔 사 삼십이
$8 \times 5 =$		+8	팔 오 사십
$8 \times 6 =$		+8	팔 육 사십팔
$8 \times 7 =$		+8	팔 칠 오십육
$8 \times 8 =$		+8	팔 팔 육십사
$8 \times 9 =$		+8	팔 구 칠십이

8을 곱한 수를 선으로 이어 봐.

$\times 8$

1 2 3 4 5 6 7

16 40 8 56 32 24 48

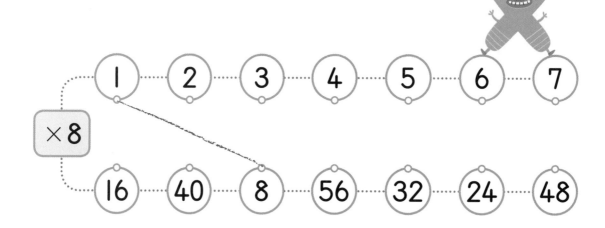

8단 곱셈구구의 수를 모두 찾아 색칠하세요.

1	2	3	4	5	6	7	8	9	10
11	12	13	14	15	16	17	18	19	20
21	22	23	24	25	26	27	28	29	30
31	32	33	34	35	36	37	38	39	40
41	42	43	44	45	46	47	48	49	50
51	52	53	54	55	56	57	58	59	60
61	62	63	64	65	66	67	68	69	70
71	72								

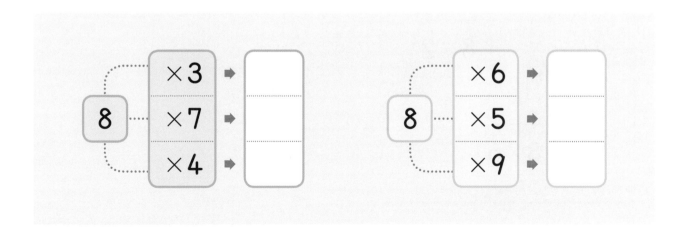

빈칸에 알맞은 수를 쓰세요.

8	×3	
	×7	
	×4	

8	×6	
	×5	
	×9	

8단 곱셈구구 연습

팔 육? 팔 팔? 바로 대답할 수 있지?

빈칸에 알맞은 수를 쓰세요.

$8 \times 3 = 3 \times \square = \square$

$8 \times 6 = 6 \times \square = \square$

$8 \times 5 = \square \times 8 = \square$

$8 \times 4 = \square \times 8 = \square$

8단의 앞부분은 앞에서 배운 단을 이용할 수 있어.

8단 대신 2단을 이용하기

$8 \times 2 = 2 \times 8 = 16$

모양이 같은 도형 안에 곱을 쓰세요.

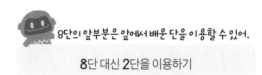

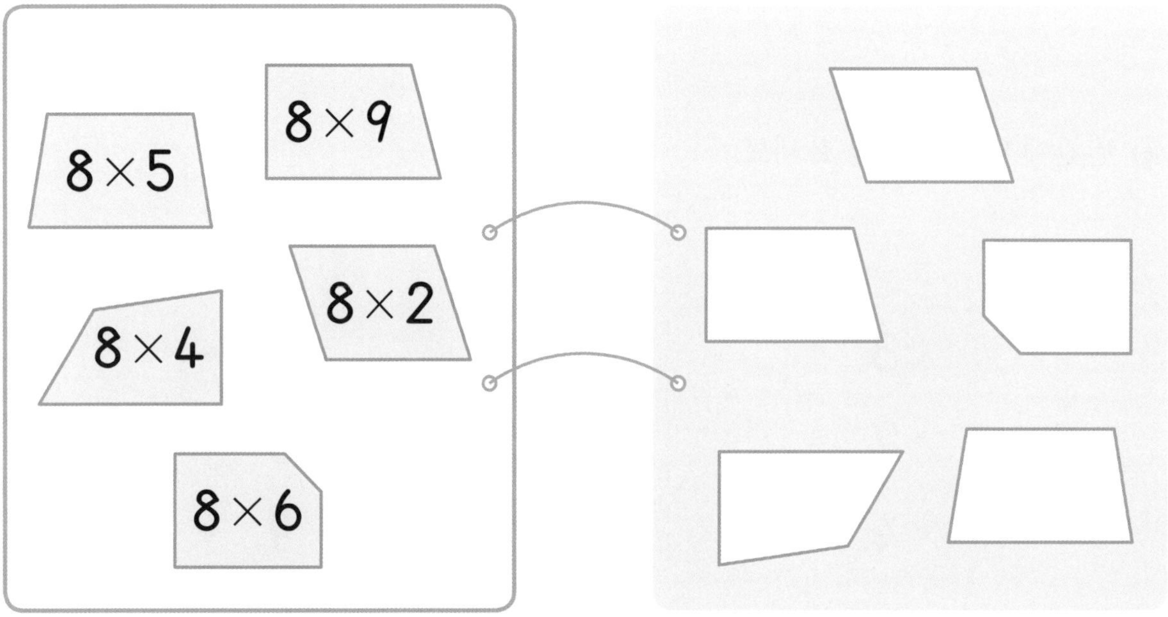

✚ 빈칸에 알맞은 수를 쓰세요.

$8 \times 4 = \boxed{}$ $8 \times 7 = \boxed{}$ $8 \times 2 = \boxed{}$

$8 \times 6 = \boxed{}$ $8 \times 1 = \boxed{}$ $8 \times 5 = \boxed{}$

$8 \times \boxed{} = 72$ $8 \times \boxed{} = 24$ $8 \times \boxed{} = 64$

✚ 8단 곱셈구구의 수에 모두 ○표 하세요.

8단도 모두 짝수야.

8단

58   8   72
24   42
36   63   18   40

5일 4, 8단 곱셈구구 연습 4, 8단 곱셈구구를 거꾸로 외워 봐!

✤ 4단, 8단 곱셈구구를 거꾸로 완성하고 4단, 8단을 거꾸로 외워 보세요.

4단

$4 \times 9 =$ ☐
$4 \times 8 =$ ☐ — 4
$4 \times 7 =$ ☐ — 4
$4 \times 6 =$ ☐ — 4
$4 \times 5 =$ ☐ — 4
$4 \times 4 =$ ☐ — 4
$4 \times 3 =$ ☐ — 4
$4 \times 2 =$ ☐ — 4
$4 \times 1 =$ ☐ — 4

8단

$8 \times 9 =$ ☐
$8 \times 8 =$ ☐ — 8
$8 \times 7 =$ ☐ — 8
$8 \times 6 =$ ☐ — 8
$8 \times 5 =$ ☐ — 8
$8 \times 4 =$ ☐ — 8
$8 \times 3 =$ ☐ — 8
$8 \times 2 =$ ☐ — 8
$8 \times 1 =$ ☐ — 8

사 구 삼십육,
사 팔 삼십이

월 일

✚ 주어진 수 중 4단과 8단 곱셈구구에 알맞은 수를 차례로 쓰세요.

27 12 16 20 36 35 30 24

➡ 4단

12

➡ 8단

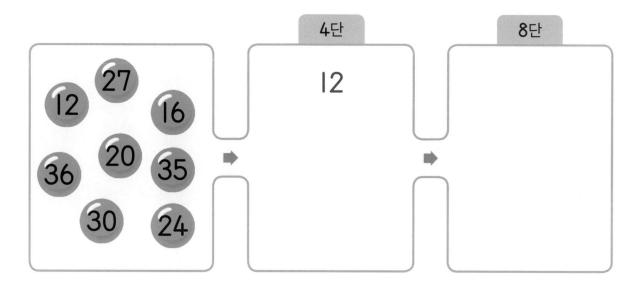

8단 곱셈구구는 4단 곱셈구구에 2를 곱한 수야.

×	1	2	3	4
4	4	8	12	16
8	8	16	24	32

×2

✚ 곱셈표를 완성하세요.

×	7	6	5
4			
8			

×	2	8	4	9
4				
8				

➕ 개구리와 문어의 다리는 각각 몇 개인지 곱셈식을 써서 구하세요.

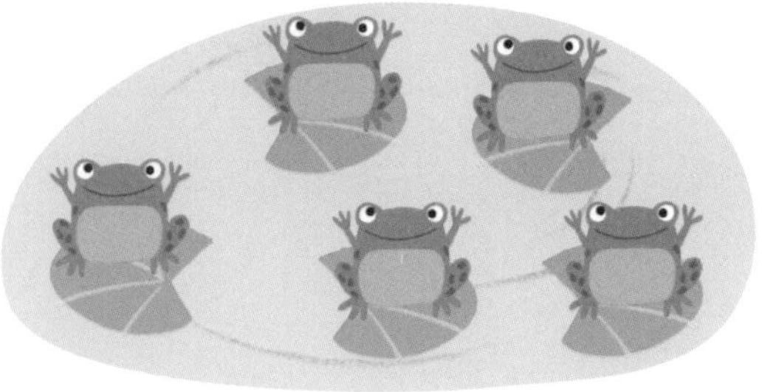

 ⬜ × ⬜ = ⬜ (개)   ⬜ × ⬜ = ⬜ (개)

➕ 곱셈을 하세요.

$4 \times 7 =$ ⬜ $8 \times 2 =$ ⬜ $4 \times 9 =$ ⬜

$8 \times 5 =$ ⬜ $4 \times 5 =$ ⬜ $8 \times 6 =$ ⬜

➕ 안쪽 두 수의 곱이 바깥쪽 수가 되도록 빈 곳에 알맞은 수를 쓰세요.

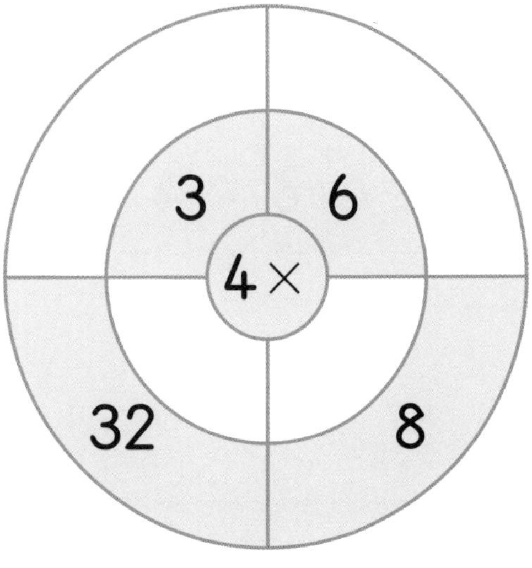

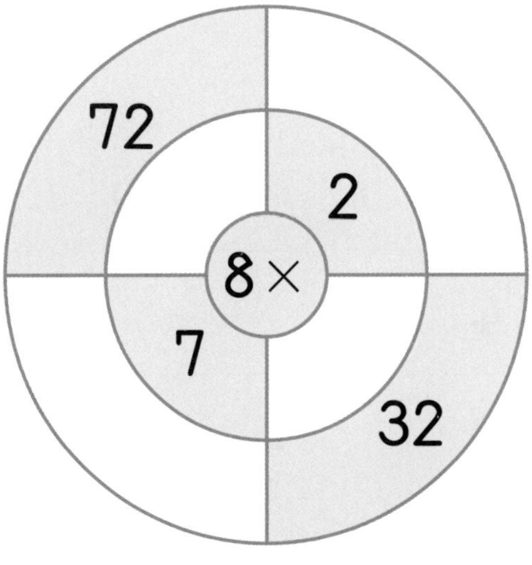

2주

7, 9단 곱셈구구

학습 기준

- 7단 곱셈구구의 원리를 이해하고 잘 외울 수 있나요? ☐
- 7단 곱셈구구와 관련된 문제를 잘 해결할 수 있나요? ☐
- 9단 곱셈구구의 원리를 이해하고 잘 외울 수 있나요? ☐
- 9단 곱셈구구와 관련된 문제를 잘 해결할 수 있나요? ☐
- 7, 9단 곱셈구구를 거꾸로 외울 수 있나요? ☐

7단 곱셈구구 는 규칙이 없어 다른 단보다 외우기 어려워. 더 연습해야 해!

➕ 7단 곱셈구구를 완성하고 7단을 외워 보세요.

7단

$7 \times 1 = \boxed{7}$ 칠 일은 칠

$+7$

$7 \times 2 = \boxed{}$ 칠 이 십사

$+7$

$7 \times 3 = \boxed{}$ 칠 삼 이십일

$+7$

$7 \times 4 = \boxed{}$ 칠 사 이십팔

$+7$

$7 \times 5 = \boxed{}$ 칠 오 삼십오

$+7$

$7 \times 6 = \boxed{}$ 칠 육 사십이

$+7$

$7 \times 7 = \boxed{}$ 칠 칠 사십구

$+7$

$7 \times 8 = \boxed{}$ 칠 팔 오십육

$+7$

$7 \times 9 = \boxed{}$ 칠 구 육십삼

1주일은
월화수목금토일

1주일	2주일	3주일	4주일	5주일	6주일
7 일	일	일	일	일	일

올바른 계산 결과를 따라 길을그리세요.

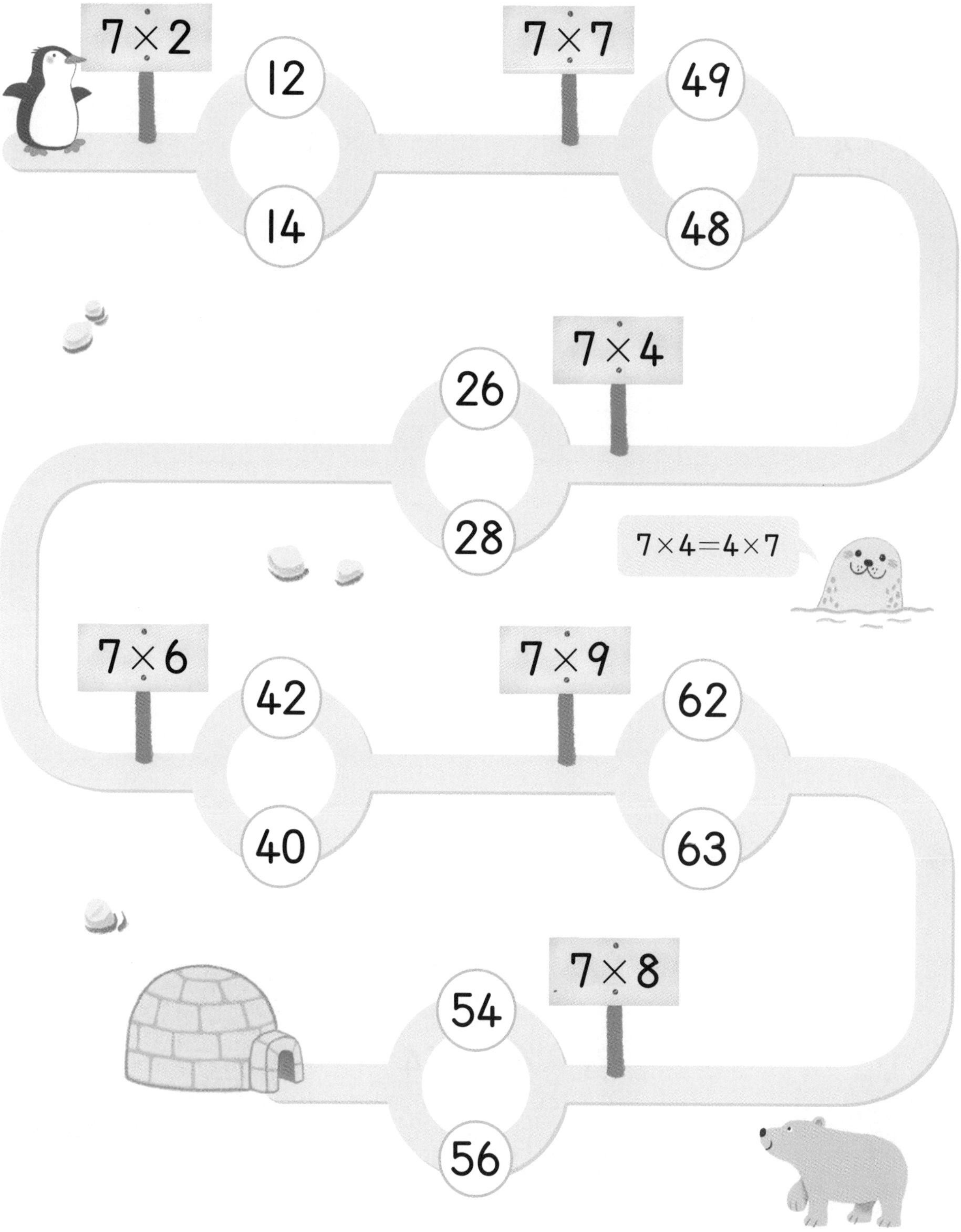

➕ 빈 곳에 알맞은 수를 쓰세요.

$7 \times 3 =$ ☐
$7 \times 4 =$ ☐
$+$ ◯

$7 \times 7 =$ ☐
$7 \times 8 =$ ☐
$+$ ◯

$7 \times 5 =$ ☐
$7 \times 6 =$ ☐
$+$ ◯

$7 \times 8 =$ ☐
$7 \times 9 =$ ☐
$+$ ◯

➕ 동물들이 말하는 곱을 모두 찾아 ◯표 하세요.

7×2

7×7

28	7	63
21	49	14
35	56	42

7×5

7×4

빈칸에 알맞은 수를 쓰세요.

$$\begin{array}{r} 7 \\ \times\ 4 \\ \hline \square \end{array} \qquad \begin{array}{r} 7 \\ \times\ 3 \\ \hline \square \end{array} \qquad \begin{array}{r} 7 \\ \times\ 9 \\ \hline \square \end{array}$$

$$\begin{array}{r} 7 \\ \times\ \square \\ \hline 35 \end{array} \qquad \begin{array}{r} 7 \\ \times\ \square \\ \hline 56 \end{array} \qquad \begin{array}{r} 7 \\ \times\ \square \\ \hline 42 \end{array}$$

빈 곳에 알맞은 수를 쓰세요.

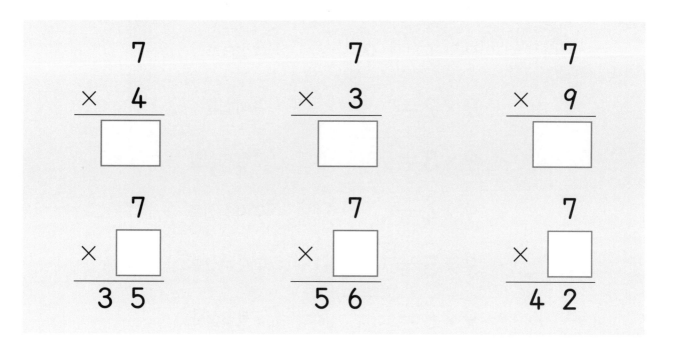

3일 9단 곱셈구구

9, 18, 27, 36 …… 일의 자리 수가 1씩 작아져.

✚ 9단 곱셈구구를 완성하고 9단을 외워 보세요.

9단

$9 \times 1 =$	9	구일은구
	+9	
$9 \times 2 =$		구이십팔
	+9	
$9 \times 3 =$		구삼이십칠
	+9	
$9 \times 4 =$		구사삼십육
	+9	
$9 \times 5 =$		구오사십오
	+9	
$9 \times 6 =$		구육오십사
	+9	
$9 \times 7 =$		구칠육십삼
	+9	
$9 \times 8 =$		구팔칠십이
	+9	
$9 \times 9 =$		구구팔십일

1	2	3	4	5	6	7	8	9	10
11	12	13	14	15	16	17	18	19	20
21	22	23	24	25	26	27	28	29	30
31	32	33	34	35	36	37	38	39	40

9단 곱셈구구의
수에 색칠해 봐.
어떤 규칙이 있어?

알맞은 곱에 ╳표 하세요.

9단 곱셈구구의 규칙을 알면 외우기 쉬워.

일의 자리 수: 9, 18, 27, 36, 45, …… (1씩 작아짐)
십의 자리 수: 9, 18, 27, 36, 45, …… (1씩 커짐)
각 자리 수의 합: 9, 9, 9, 9, 9, …… (9로 같음)

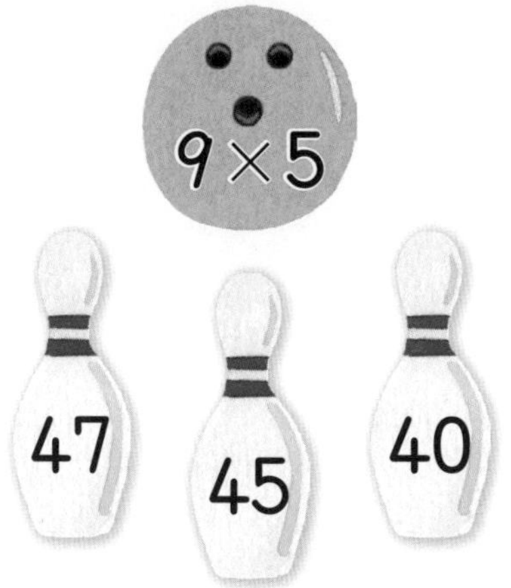

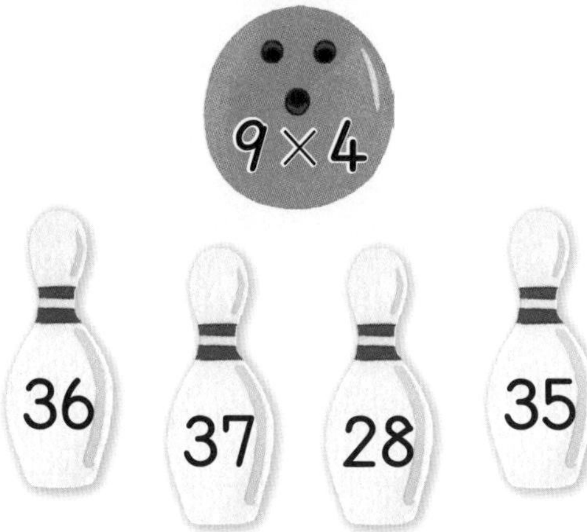

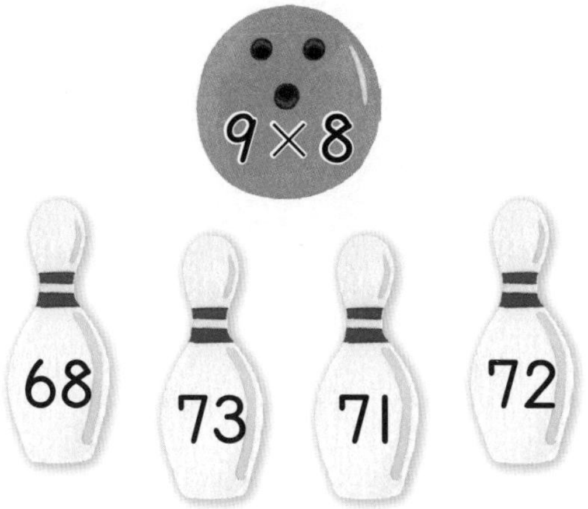

4일 9단 곱셈구구 연습

9, 18, 27, 36 …… 십의 자리 수는 1씩 커져.

곱이 같은 것끼리 선으로 이으세요.

9×5	54	6×9
9×2	45	2×9
9×6	18	5×9

길이가 같은 블록을 찾아 곱을 쓰세요.

9×4　9×6

9×8

9×7　9×3

➕ 빈칸에 알맞은 수를 쓰세요.

$9 \times 2 = \boxed{}$　　$9 \times 8 = \boxed{}$　　$9 \times 5 = \boxed{}$

$9 \times 9 = \boxed{}$　　$9 \times 4 = \boxed{}$　　$9 \times 7 = \boxed{}$

➕ 곱셈에 알맞은 길을 그리세요.

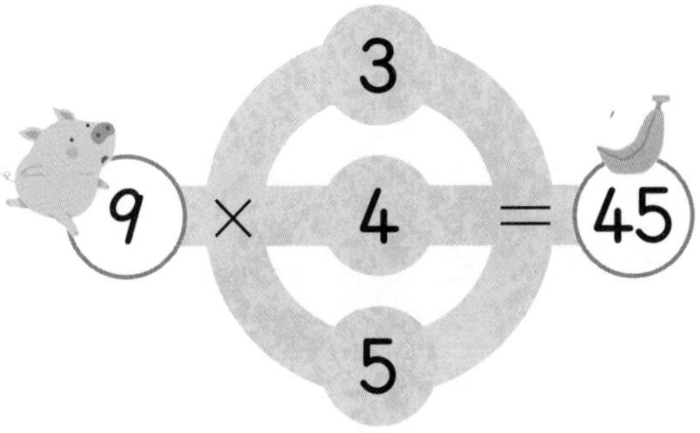

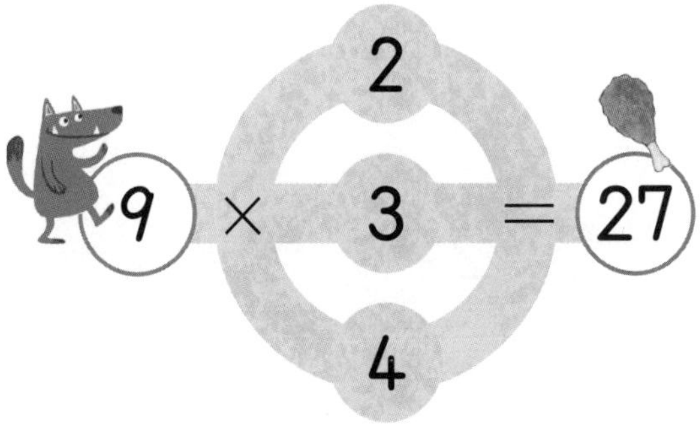

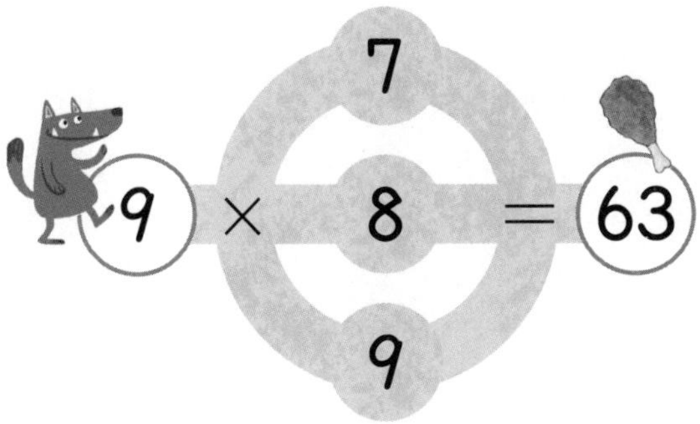

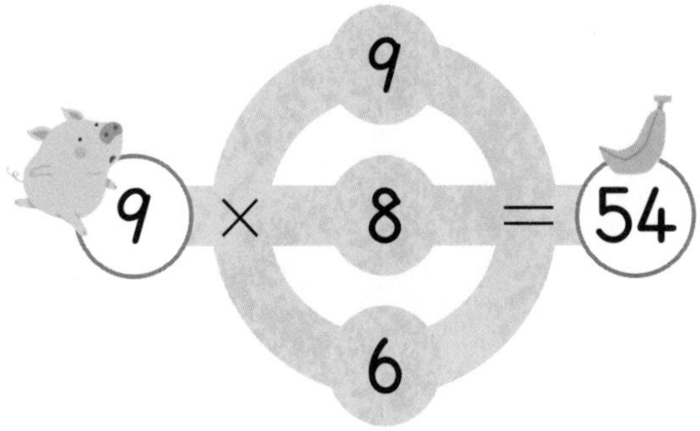

7, 9단 곱셈구구 연습 <small>7, 9단 곱셈구구를 거꾸로 외워 봐!</small>

➕ 7단, 9단 곱셈구구를 거꾸로 완성하고 7단, 9단을 거꾸로 외워 보세요.

7단

$7 \times 9 =$ ☐
$7 \times 8 =$ ☐　-7
$7 \times 7 =$ ☐　-7
$7 \times 6 =$ ☐　-7
$7 \times 5 =$ ☐　-7
$7 \times 4 =$ ☐　-7
$7 \times 3 =$ ☐　-7
$7 \times 2 =$ ☐　-7
$7 \times 1 =$ ☐　-7

9단

$9 \times 9 =$ ☐
$9 \times 8 =$ ☐　-9
$9 \times 7 =$ ☐　-9
$9 \times 6 =$ ☐　-9
$9 \times 5 =$ ☐　-9
$9 \times 4 =$ ☐　-9
$9 \times 3 =$ ☐　-9
$9 \times 2 =$ ☐　-9
$9 \times 1 =$ ☐　-9

칠 구 육십삼,
칠 팔 오십육

✚ 빈칸에 알맞은 수를 쓰세요.

$7 \times 5 = \square$　　$9 \times 6 = \square$　　$7 \times 8 = \square$

$9 \times 3 = \square$　　$7 \times 4 = \square$　　$9 \times 7 = \square$

$7 \times \square = 14$　　$9 \times \square = 81$　　$7 \times \square = 49$

✚ 7단, 9단 곱셈구구의 수를 모두 찾아 색칠하세요.

13	54	27	61	32
21	64	14	63	56
7	34	42	52	18
49	28	35	45	57

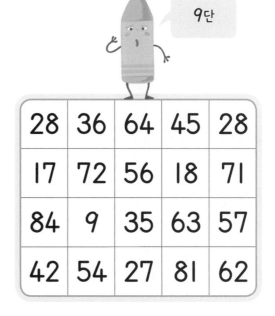

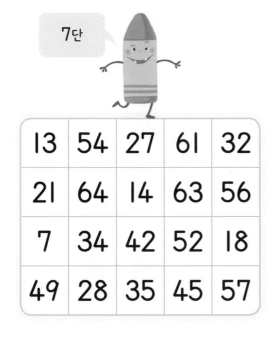

28	36	64	45	28
17	72	56	18	71
84	9	35	63	57
42	54	27	81	62

확인 학습

곱셈에 알맞은 길을 그리세요.

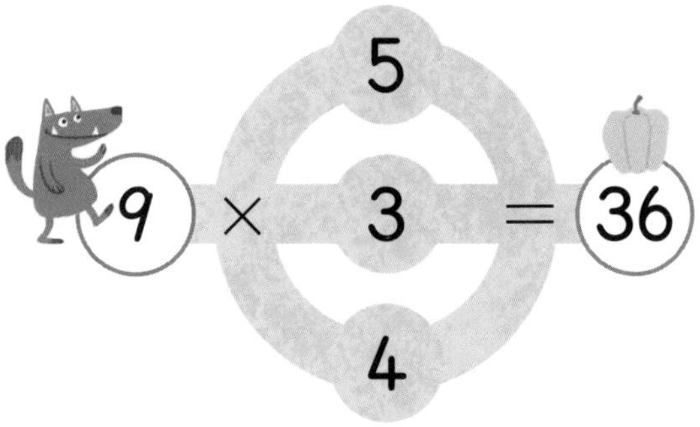

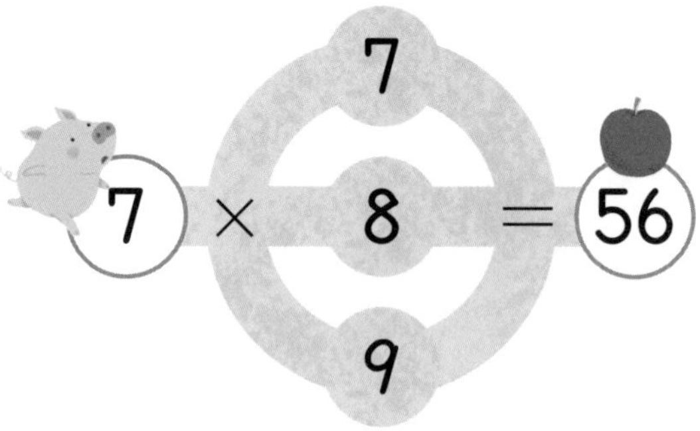

빈 곳에 알맞은 수를 쓰세요.

$7\times4=\square$
$7\times5=\square$
$+\bigcirc$

$9\times6=\square$
$9\times7=\square$
$+\bigcirc$

빈칸에 알맞은 수를 쓰세요.

$7\times2=\square$　　$9\times8=\square$　　$7\times6=\square$

$9\times\square=45$　　$7\times\square=63$　　$9\times\square=27$

3주

4, 7, 8, 9단과 곱셈구구 종합(1)

학습 기준

- 4, 7, 8, 9단 곱셈구구와 관련된 문제를 잘 해결할 수 있나요? ☐
- 곱셈구구표를 완성할 수 있고, 1과 0의 곱을 알 수 있나요? ☐
- 2단~9단 곱셈구구를 1분 30초 안에 차례로 외울 수 있나요? ☐
- 9단~2단 곱셈구구를 2분 안에 거꾸로 외울 수 있나요? ☐

1일 4, 7, 8, 9단 곱셈구구 연습(1)

각 단의 곱셈구구가 맞는지 틀린지 판단해 봐!

곱셈구구가 올바른 칸에 모두 색칠하세요.

출발	$8\times8=62$	$9\times5=45$	$8\times2=14$	$7\times6=42$	$4\times3=11$	$9\times9=82$
$4\times6=20$						$8\times5=35$
$7\times2=14$						$7\times8=56$
$8\times4=36$						$8\times7=49$
$7\times6=45$						$4\times9=32$
$9\times3=27$						$7\times4=26$
$4\times5=25$						$9\times7=63$
$8\times7=56$						$7\times6=36$
$9\times6=53$	$8\times3=32$	$4\times6=24$	$7\times7=47$	$9\times4=35$	$4\times8=32$	$8\times9=72$

월 일

곱셈을 하여 알맞은 수와 선으로 이으세요.

× 5

4	40
7	45
8	20
9	35

× 8

8	56
4	64
9	72
7	32

각 단의 곱이 아닌 것에 ×표 하세요.

4단 …… 12 8 28 16 34

7단 …… 21 51 14 35 63

8단 …… 32 72 48 26 40

9단 …… 63 27 79 45 54

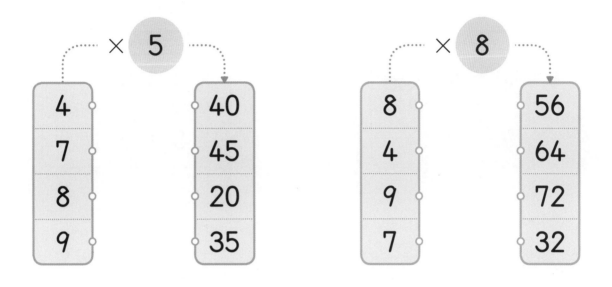

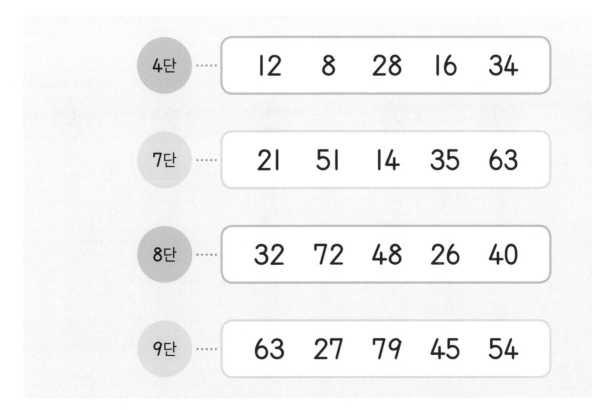

➕ 곱셈을 하세요.

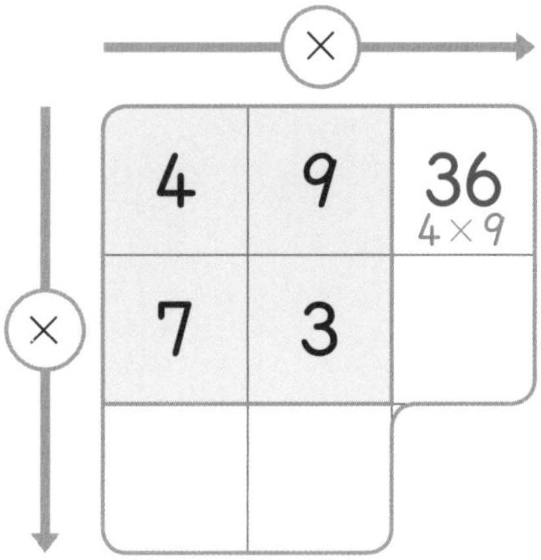

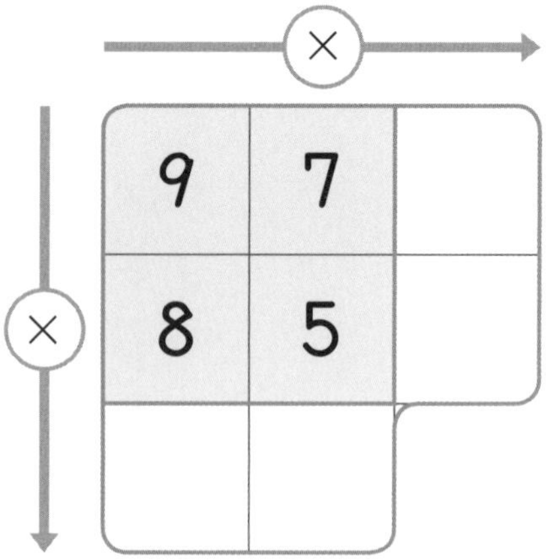

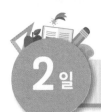

➕ 사다리 타기를 하여 빈칸에 알맞은 수를 쓰세요.

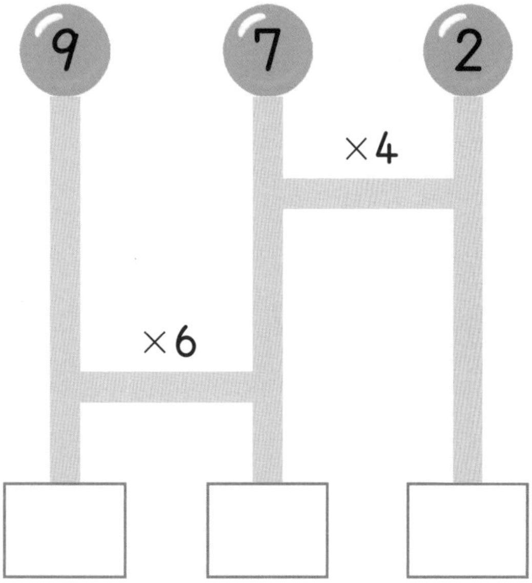

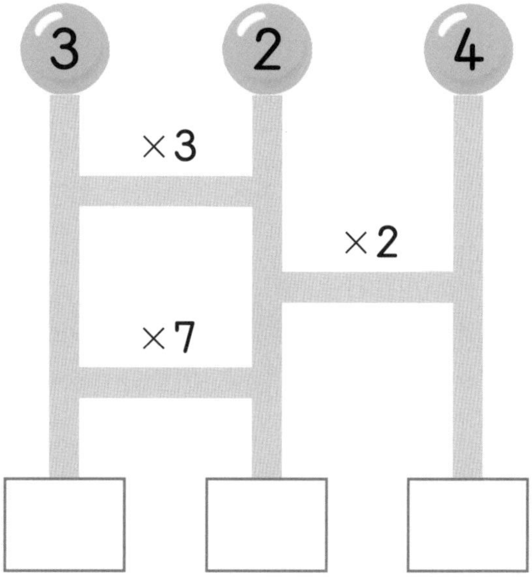

선으로 연결된 두 수의 곱을 위에 쓸 때, 빈칸에 알맞은 수를 쓰세요.

	42		
7		□	
1	□	□	3

	72		
□		8	
□	3	2	□

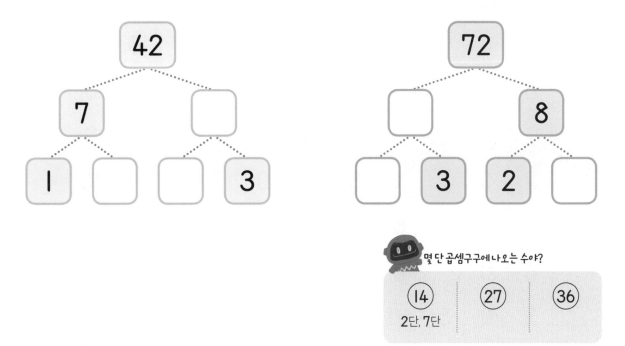

몇 단 곱셈구구에 나오는 수야?

14	27	36
2단, 7단		

주어진 수가 곱이 되는 두 수를 찾아 색칠하세요.

20	32	63
3	6	8
6	2	7
4	7	4
7	8	9
5	4	5

3일 곱셈구구표와 1, 0의 곱 곱셈구구표를 보고 규칙을 찾아봐.

빈칸에 알맞은 수를 넣어 곱셈구구표를 완성하세요.

×	0	1	2	3	4	5	6	7	8	9
0	0	0	0	0	0	0	0	0	0	0
1	0	1	2	3	4		6	7	8	9
2	0	2	4	6	8	10	12	14		18
3	0	3	6		12	15	18	21	24	27
4	0		8	12	16	20		28	32	36
5	0	5	10	15	20	25	30	35		45
6		6		18	24	30	36	42	48	
7	0	7	14	21		35	42		56	63
8	0	8	16	24	32	40		56	64	72
9	0	9	18	27	36	45	54	63		

(3×2)

규칙

- ★단 곱셈구구에서 곱하는 수가 1씩 커지면 그 곱은 ★씩 커집니다.
- 대각선(↘)에 있는 수들은 모두 한 번씩만 나옵니다. (0 제외)
- 0과 어떤 수의 곱은 항상 0입니다.
- 1과 어떤 수의 곱은 항상 어떤 수 자기 자신입니다.

➕ 빈칸에 알맞은 수를 쓰세요.

$$6 \times \boxed{} = 0 \qquad 2 \times \boxed{} = 0 \qquad \boxed{} \times 7 = 0$$

$$4 \times \boxed{} = 4 \qquad 9 \times \boxed{} = 9 \qquad \boxed{} \times 6 = 6$$

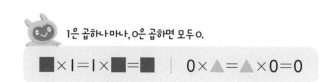

1은 곱하나 마나, 0은 곱하면 모두 0.

$$\blacksquare \times 1 = 1 \times \blacksquare = \blacksquare \qquad 0 \times \blacktriangle = \blacktriangle \times 0 = 0$$

➕ 곱셈표를 완성하세요.

×	4	7	8
0			
1			
2			

×	8		
	24		
6			42
9		54	

➕ 곱셈구구를 2단부터 9단까지 1분 30초 안에 외워 보세요.

2단
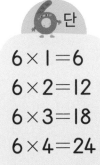
$2 \times 1 = 2$
$2 \times 2 = 4$
$2 \times 3 = 6$
$2 \times 4 = 8$
$2 \times 5 = 10$
$2 \times 6 = 12$
$2 \times 7 = 14$
$2 \times 8 = 16$
$2 \times 9 = 18$

3단
$3 \times 1 = 3$
$3 \times 2 = 6$
$3 \times 3 = 9$
$3 \times 4 = 12$
$3 \times 5 = 15$
$3 \times 6 = 18$
$3 \times 7 = 21$
$3 \times 8 = 24$
$3 \times 9 = 27$

4단
$4 \times 1 = 4$
$4 \times 2 = 8$
$4 \times 3 = 12$
$4 \times 4 = 16$
$4 \times 5 = 20$
$4 \times 6 = 24$
$4 \times 7 = 28$
$4 \times 8 = 32$
$4 \times 9 = 36$

5단
$5 \times 1 = 5$
$5 \times 2 = 10$
$5 \times 3 = 15$
$5 \times 4 = 20$
$5 \times 5 = 25$
$5 \times 6 = 30$
$5 \times 7 = 35$
$5 \times 8 = 40$
$5 \times 9 = 45$

6단

$6 \times 1 = 6$
$6 \times 2 = 12$
$6 \times 3 = 18$
$6 \times 4 = 24$
$6 \times 5 = 30$
$6 \times 6 = 36$
$6 \times 7 = 42$
$6 \times 8 = 48$
$6 \times 9 = 54$

7단
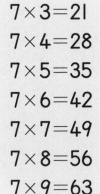
$7 \times 1 = 7$
$7 \times 2 = 14$
$7 \times 3 = 21$
$7 \times 4 = 28$
$7 \times 5 = 35$
$7 \times 6 = 42$
$7 \times 7 = 49$
$7 \times 8 = 56$
$7 \times 9 = 63$

8단

$8 \times 1 = 8$
$8 \times 2 = 16$
$8 \times 3 = 24$
$8 \times 4 = 32$
$8 \times 5 = 40$
$8 \times 6 = 48$
$8 \times 7 = 56$
$8 \times 8 = 64$
$8 \times 9 = 72$

9단
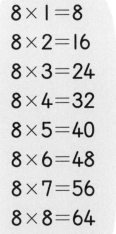
$9 \times 1 = 9$
$9 \times 2 = 18$
$9 \times 3 = 27$
$9 \times 4 = 36$
$9 \times 5 = 45$
$9 \times 6 = 54$
$9 \times 7 = 63$
$9 \times 8 = 72$
$9 \times 9 = 81$

도전	1회	2회	3회
시간	분 초	분 초	분 초

✚ 시간을 재어 곱셈을 하세요.

$4 \times 6 =$ ☐　　$3 \times 4 =$ ☐　　$5 \times 3 =$ ☐

$2 \times 2 =$ ☐　　$8 \times 2 =$ ☐　　$4 \times 8 =$ ☐

$5 \times 9 =$ ☐　　$6 \times 6 =$ ☐　　$7 \times 6 =$ ☐

$7 \times 4 =$ ☐　　$5 \times 1 =$ ☐　　$9 \times 8 =$ ☐

$6 \times 5 =$ ☐　　$9 \times 9 =$ ☐　　$2 \times 5 =$ ☐

$3 \times 8 =$ ☐　　$4 \times 3 =$ ☐　　$8 \times 7 =$ ☐

$9 \times 3 =$ ☐　　$7 \times 7 =$ ☐　　$3 \times 9 =$ ☐

$7 \times 8 =$ ☐　　$8 \times 6 =$ ☐　　$6 \times 4 =$ ☐

　　　분　　　초
_____　_____

➕ 곱셈구구를 거꾸로 9단부터 2단까지 2분 안에 외워 보세요.

9단

9×9=81
9×8=72
9×7=63
9×6=54
9×5=45
9×4=36
9×3=27
9×2=18
9×1=9

8단

8×9=72
8×8=64
8×7=56
8×6=48
8×5=40
8×4=32
8×3=24
8×2=16
8×1=8

7단

7×9=63
7×8=56
7×7=49
7×6=42
7×5=35
7×4=28
7×3=21
7×2=14
7×1=7

6단

6×9=54
6×8=48
6×7=42
6×6=36
6×5=30
6×4=24
6×3=18
6×2=12
6×1=6

5단

5×9=45
5×8=40
5×7=35
5×6=30
5×5=25
5×4=20
5×3=15
5×2=10
5×1=5

4단

4×9=36
4×8=32
4×7=28
4×6=24
4×5=20
4×4=16
4×3=12
4×2=8
4×1=4

3단

3×9=27
3×8=24
3×7=21
3×6=18
3×5=15
3×4=12
3×3=9
3×2=6
3×1=3

2단

2×9=18
2×8=16
2×7=14
2×6=12
2×5=10
2×4=8
2×3=6
2×2=4
2×1=2

도전	1회	2회	3회
시간	분 초	분 초	분 초

➕ 두 사람이 '구구단을 외자' 게임을 합니다. 빈 곳에 알맞은 수를 쓰세요.

이팔

| |

칠사

| |

육팔

구구단을 외자~
구구단을 외자~

16

구육

| |

삼구

| |

구구단을 외자~
구구단을 외자~

➕ 모두 몇 개 틀렸을까요? 틀린 것에 모두 / 표 하세요.

① 4 × 5 = 20   ② 7 × 2 = 14   ③ 3 × 6 = 15

④ 8 × 7 = 56   ⑤ 5 × 9 = 45   ⑥ 8 × 4 = 32

⑦ 2 × 9 = 18   ⑧ 9 × 6 = 52   ⑨ 4 × 7 = 26

⑩ 9 × 8 = 76   ⑪ 6 × 3 = 18   ⑫ 7 × 5 = 45

확인 학습

곱셈을 하세요.

$6 \times 6 = \square$　　$4 \times 8 = \square$　　$9 \times 7 = \square$

$3 \times 5 = \square$　　$5 \times 0 = \square$　　$2 \times 9 = \square$

$1 \times 7 = \square$　　$8 \times 6 = \square$　　$7 \times 6 = \square$

앞의 두 수의 곱이 다음 수가 되도록 빈칸에 알맞은 수를 쓰세요.

01 □ − 39 □ □ − 84 □ □

곱셈구구로 전화번호를 만들었어.

주어진 수가 곱이 되는 두 수를 찾아 색칠하세요.

56
6
8
4
7
9

24
5
3
9
6
4

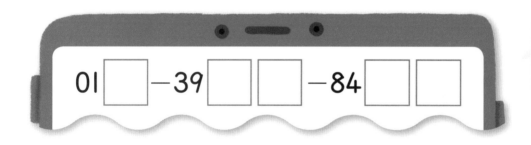

4주

곱셈구구 종합(2)

학습 기준

- □가 하나 있는 곱셈식에서 □를 구할 수 있나요? □
- 두 수를 선택하여 곱을 찾고, 곱을 보고 두 수를 찾을 수 있나요? □
- 곱이 같은 곱셈구구를 모두 찾을 수 있나요? □
- 그림을 그려 곱셈구구의 일의 자리 수의 규칙을 찾을 수 있나요? □
- □가 여러 개 있는 곱셈식에서 □를 구할 수 있나요? □

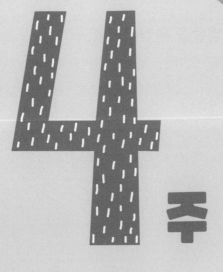

♣ 가로 열쇠와 세로 열쇠를 이용하여 퍼즐을 완성하세요.

가로 ① 4×6

세로 ④ 2×9

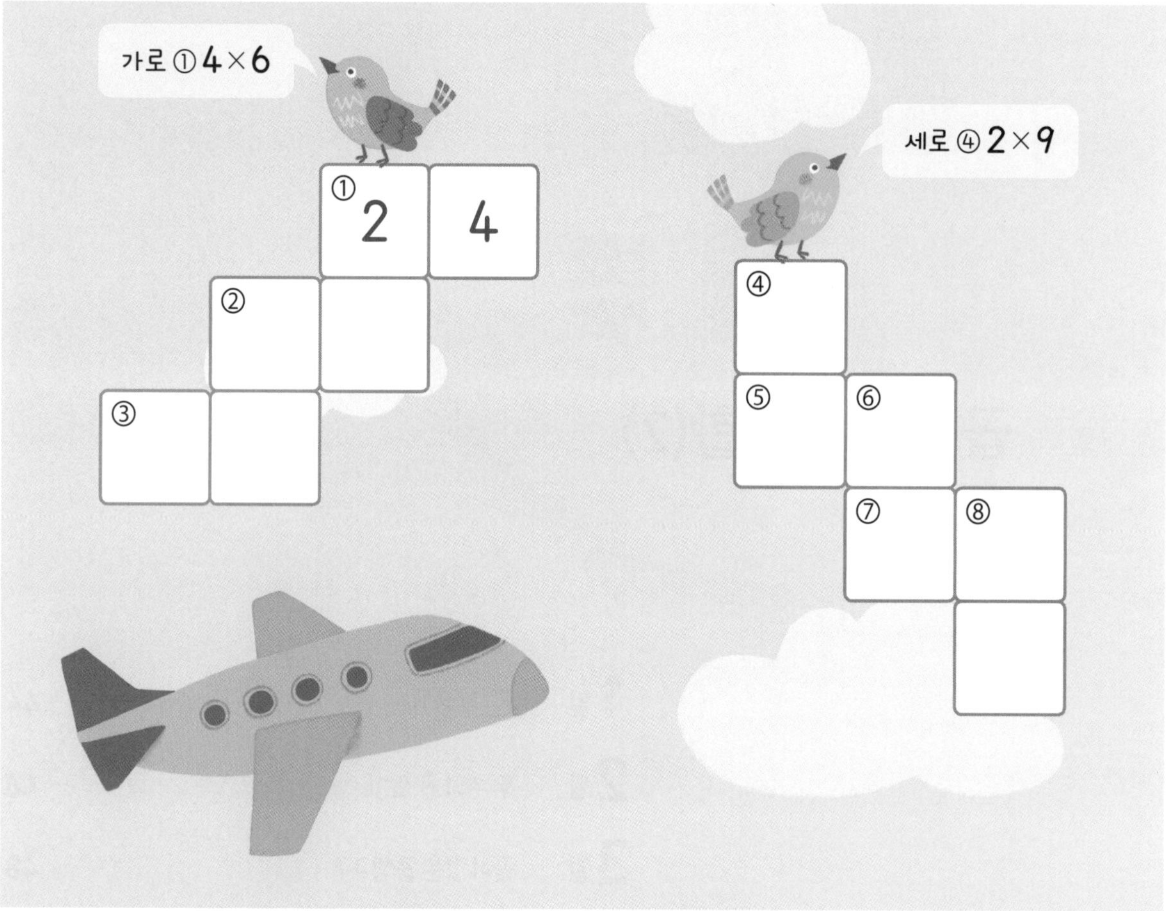

가로 열쇠	세로 열쇠
① 4×6	① 5×5
② 7×5	② 6×5
③ 8×5	④ 2×9
⑤ 9×9	⑥ 4×4
⑦ 7×9	⑧ 8×4

➕ 빈칸에 알맞은 수를 쓰세요.

$4 \times \boxed{} = 24$ $8 \times \boxed{} = 32$ $7 \times \boxed{} = 56$

$\boxed{} \times 6 = 18$ $\boxed{} \times 9 = 81$ $\boxed{} \times 5 = 30$

➕ 선으로 이어진 두 수의 곱이 아래의 수가 되도록 빈칸에 알맞은 수를 쓰세요

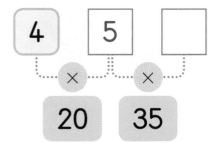

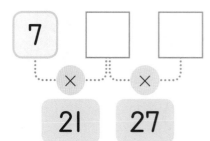

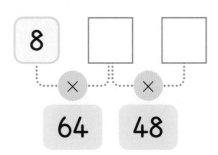

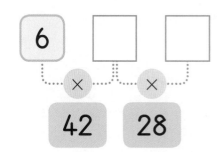

2일 두 수의 곱 찾기 땡땡은 32. 땡땡은 뭐야?

주어진 세 수 중 두 수의 곱으로 나올 수 있는 수를 모두 찾아 ╳표 하세요.

➕ 빈칸에 알맞은 두 수에 색칠하세요.

| 2 | 7 | 4 | 3 | 8 | 5 |

| 4 | 8 | 6 | 3 | 7 | 9 |

곱하는 순서는 상관없어.

8단도 되고, 4단도 돼.

$\square \times \square = 32$

| 7 | 8 | 9 | 6 | 4 | 3 |

$\square \times \square = 28$

| 9 | 5 | 7 | 3 | 4 | 8 |

$\square \times \square = 25$

| 3 | 4 | 2 | 6 | 5 | 5 |

$\square \times \square = 42$

| 2 | 9 | 8 | 6 | 5 | 7 |

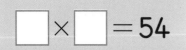

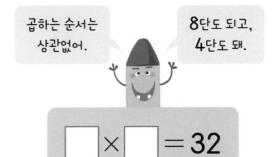

♣ 곱이 같은 곱셈구구를 모두 찾아 쓰세요.

21

☐ × ☐ = 21

☐ × ☐ = 21

36

☐ × ☐ = 36

☐ × ☐ = 36

☐ × ☐ = 36

곱하는 순서를
바꾸어도 곱은 같아.

18

☐ × ☐ = 18

☐ × ☐ = 18

☐ × ☐ = 18

☐ × ☐ = 18

24

☐ × ☐ = 24

☐ × ☐ = 24

☐ × ☐ = 24

☐ × ☐ = 24

곱이 왼쪽 수가 되도록 가로 또는 세로로 이웃한 두 수를 모두 찾아 묶으세요.

16

8	3	4	4
4	5	8	5
7	3	2	4
2	8	6	5

42

5	6	6	9
4	7	5	8
9	5	8	2
3	8	7	6

곱이 같은 것끼리 선으로 이으세요.

2×9	6×2
4×3	4×9
8×7	3×6
4×6	7×8
6×6	8×3

4일 곱셈구구의 일의 자리 수 는 어떤 규칙이 있는지 그림을 그려 찾아봐.

♣ 각 단의 곱셈구구 값의 일의 자리 수를 차례로 선으로 이으세요.

포기하지 말고
끝까지 그려 봐.

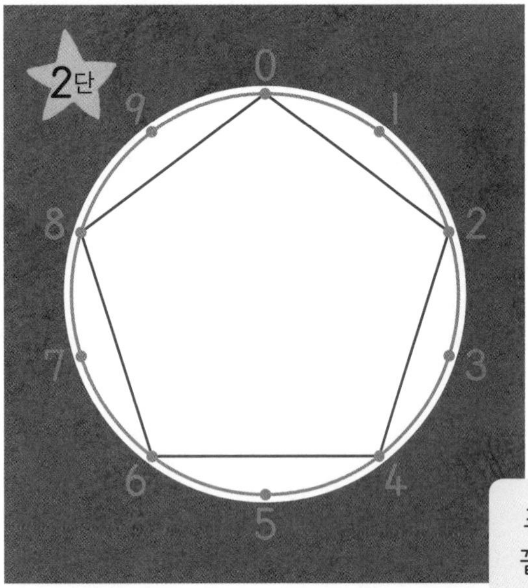

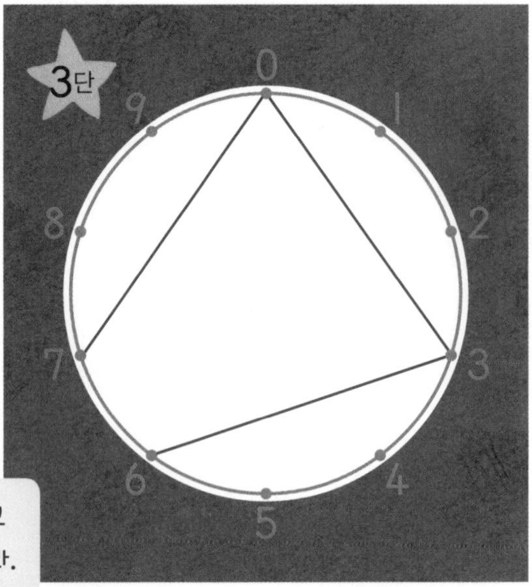

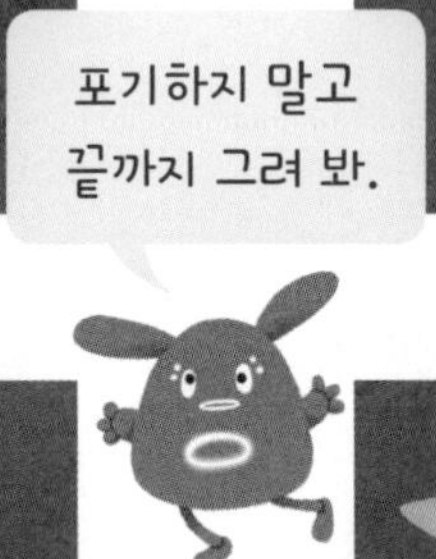

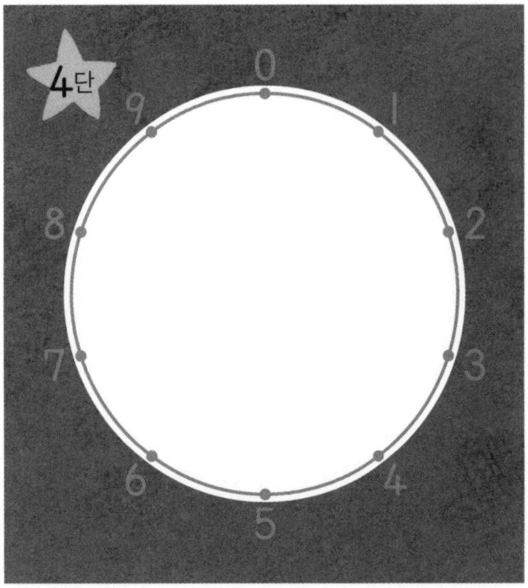

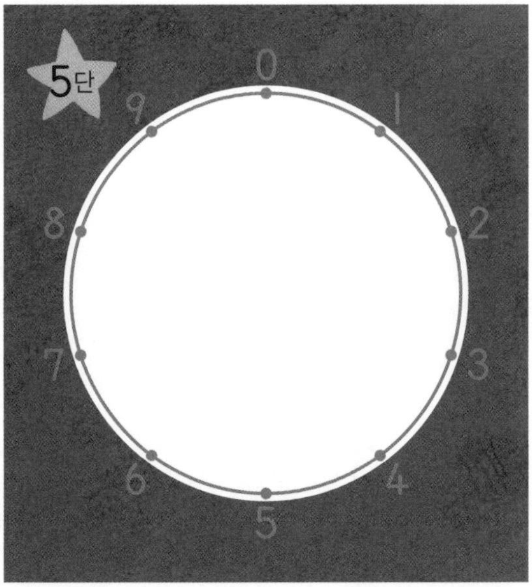

┤ 규칙 ├
- 2단의 일의 자리 수는 2, 4, 6, 8, 0 다섯 개의 수가 차례로 반복되요.
- 5단의 일의 자리 수는 5와 0만 나와요.

8단은 어떤 단의
모양과 같지?

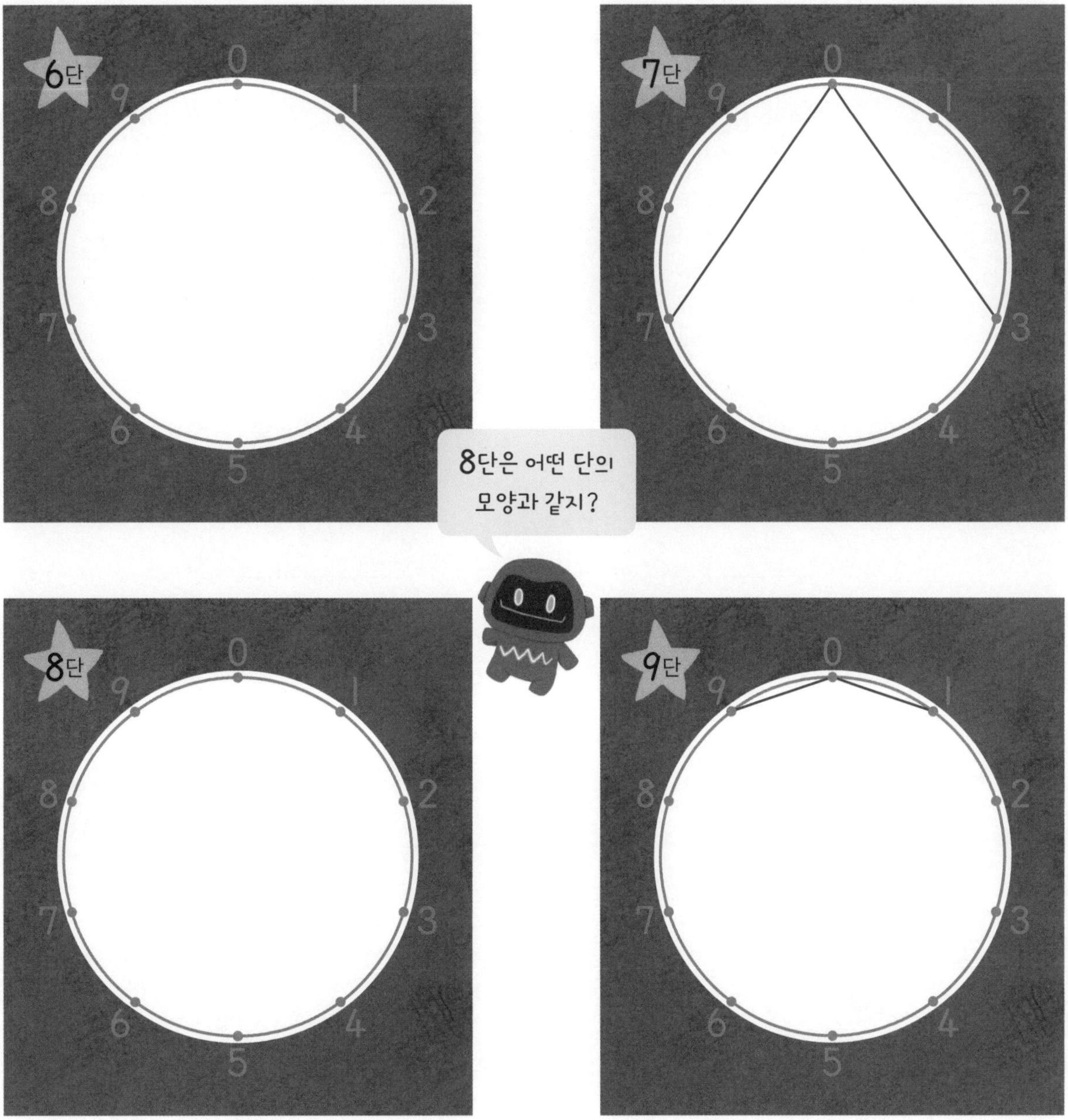

┤ 규칙 ├

· 3, 7, 9단의 일의 자리 수는 1부터 9까지의 수가 모두 나와요.

· 2단은 8단, 3단은 7단, 4단은 6단과 모양이 같아요.

벌레 먹은 곱셈구구

곱의 일의 자리 수를 보면 어떤 수를 곱했는지 예상할 수 있어.

➕ 빈 곳에 알맞은 수를 쓰세요.

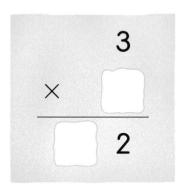

$$3 \times \square = \boxed{}2$$

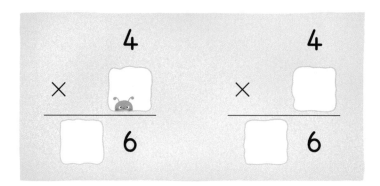

$$4 \times \square = \boxed{}6 \qquad 4 \times \square = \boxed{}6$$

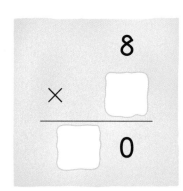

$$9 \times \square = \boxed{}7 \qquad 8 \times \square = \boxed{}0$$

$$7 \times \square = \boxed{}9$$

$$6 \times \square = \boxed{}4 \qquad 6 \times \square = \boxed{}4$$

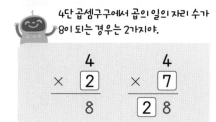

4단 곱셈구구에서 곱의 일의 자리 수가 8이 되는 경우는 2가지야.

$$\begin{array}{r} 4 \\ \times \boxed{2} \\ \hline 8 \end{array} \qquad \begin{array}{r} 4 \\ \times \boxed{7} \\ \hline \boxed{2}\,8 \end{array}$$

✚ 수 카드를 한 번씩 모두 사용하여 알맞은 곱셈식을 만드세요.

짝수를 곱하면 항상 짝수야.

● × (짝수) = (짝수)
(홀수) × (홀수) = (홀수)

□ × □ = □□   □ × □ = □□

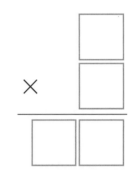

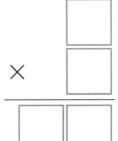

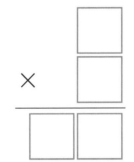

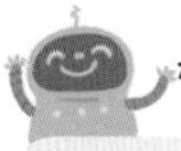

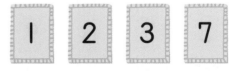

확인 학습

빈칸에 알맞은 수를 쓰세요.

$4 \times \square = 16$　　$7 \times \square = 56$　　$5 \times \square = 30$

$\square \times 3 = 27$　　$\square \times 8 = 64$　　$\square \times 3 = 9$

곱이 왼쪽 수가 되도록 가로 또는 세로로 이웃한 두 수를 모두 찾아 묶으세요.

24

7	6	2	9
4	3	9	8
6	5	5	3
3	8	6	4

수 카드를 한 번씩 모두 사용하여 알맞은 곱셈식을 만드세요.

3　7　6　9

$\square \times \square = \square\square$

2　6　4　4

$\square \times \square = \square\square$

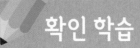

마무리
평가

마무리 평가에서는 1, 2, 3, 4주 차의 유형이 순서대로 나옵니다.

문제가 틀리면 몇 주 차인지 확인하여 반드시 다시 한번 복습합니다.

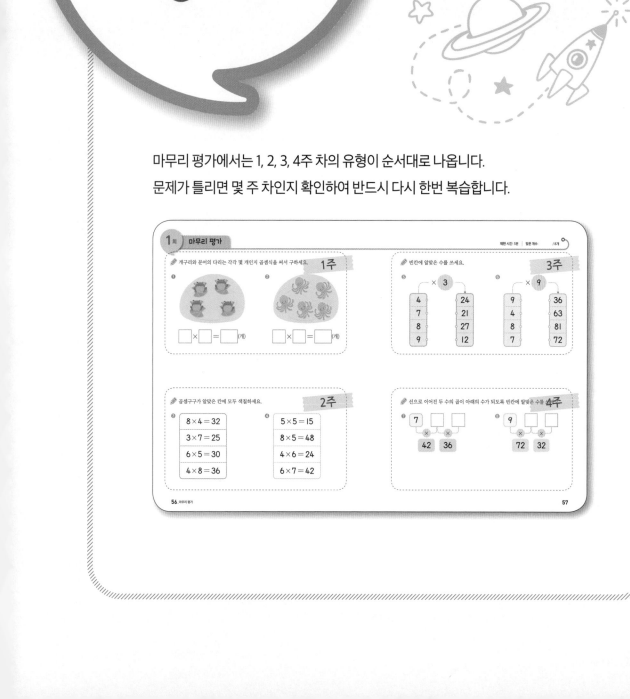

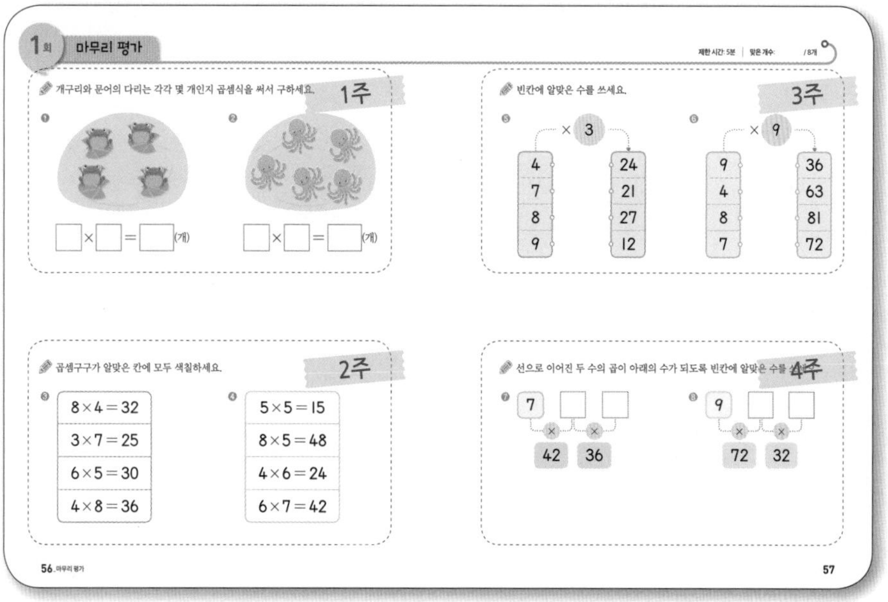

1회 마무리 평가

개구리와 문어의 다리는 각각 몇 개인지 곱셈식을 써서 구하세요.

❶

□ × □ = □ (개)

❷

□ × □ = □ (개)

곱셈구구가 알맞은 칸에 모두 색칠하세요.

❸

$8 \times 4 = 32$
$3 \times 7 = 25$
$6 \times 5 = 30$
$4 \times 8 = 36$

❹

$5 \times 5 = 15$
$8 \times 5 = 48$
$4 \times 6 = 24$
$6 \times 7 = 42$

✏️ 빈칸에 알맞은 수를 쓰세요.

❺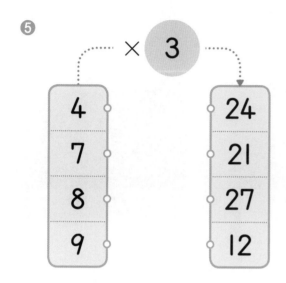

❻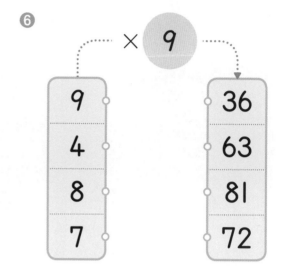

✏️ 선으로 이어진 두 수의 곱이 아래의 수가 되도록 빈칸에 알맞은 수를 쓰세요.

❼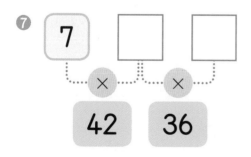

❽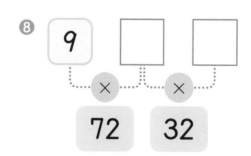

2회 마무리 평가

알맞은 곱에 ○표 하세요.

❶

❷

❸

빈 곳에 알맞은 수를 쓰세요.

❹

$7 \times 5 = \square$

$7 \times 6 = \square$

$+ \bigcirc$

❺

$9 \times 4 = \square$

$9 \times 5 = \square$

$+ \bigcirc$

빈칸에 알맞은 수를 쓰세요.

⑥ $8 \times 8 = \square$

⑦ $7 \times 3 = \square$

⑧ $6 \times \square = 24$

⑨
$$\begin{array}{r} 1 \\ \times \quad 5 \\ \hline \square \end{array}$$

⑩
$$\begin{array}{r} 9 \\ \times \quad \square \\ \hline 5\ 4 \end{array}$$

⑪
$$\begin{array}{r} 4 \\ \times \quad \square \\ \hline 3\ 2 \end{array}$$

빈칸에 알맞은 두 수에 색칠하세요.

⑫ $\square \times \square = 56$

9	7	4	6	8	5

⑬ $\square \times \square = 28$

6	8	4	5	9	7

3회 마무리 평가

곱셈에 알맞은 길을 그리세요.

❶
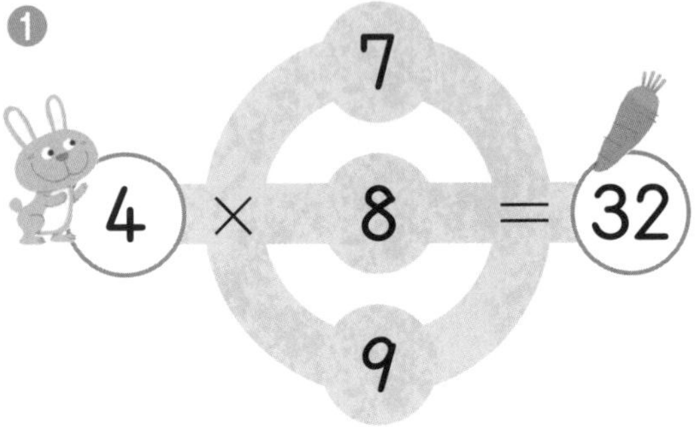

❷
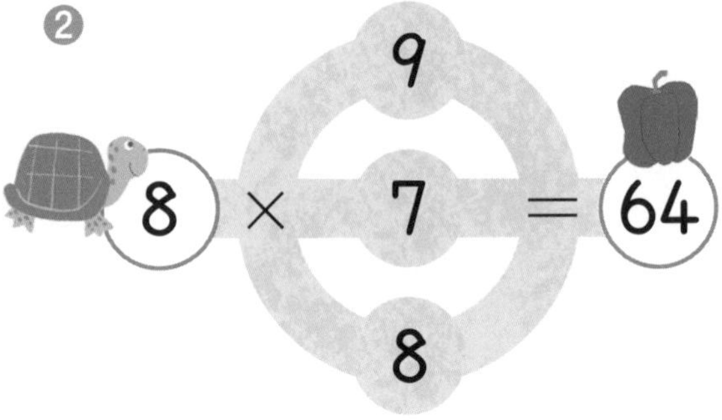

알맞은 곱에 ×표 하세요.

❸
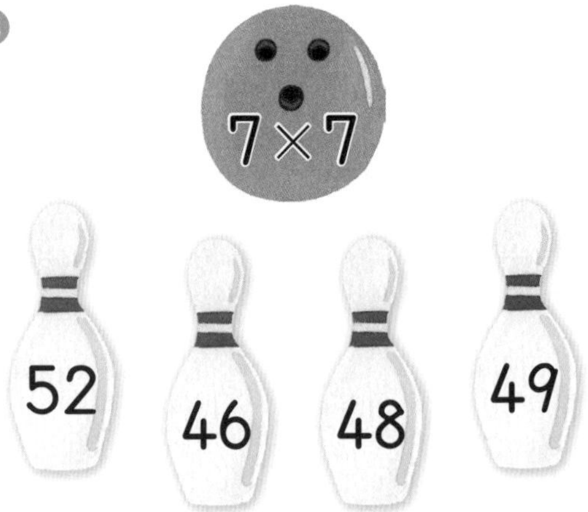

❹
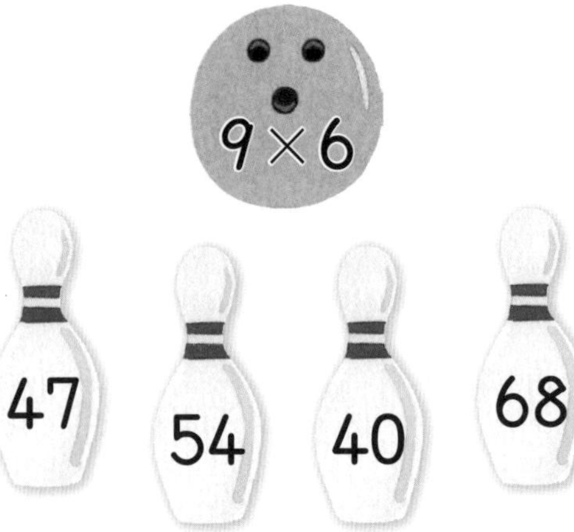

✏️ 빈칸에 알맞은 수를 쓰세요.

⑤ $8 \times 3 = \boxed{}$　⑥ $4 \times 4 = \boxed{}$　⑦ $3 \times 0 = \boxed{}$

⑧ $7 \times \boxed{} = 42$　⑨ $9 \times \boxed{} = 27$　⑩ $6 \times \boxed{} = 42$

✏️ 주어진 수가 곱이 되도록 이웃한 두 수를 가로 또는 세로로 모두 찾아 묶으세요.

⑪

12

3	3	5	3
6	4	2	7
1	4	6	4
6	2	8	3

⑫

36

6	7	8	9
8	5	6	4
6	6	3	5
5	4	9	7

4회 마무리 평가

빈칸에 알맞은 수를 쓰세요.

❶ $4 \times 6 = 6 \times \square = \square$

❷ $8 \times 4 = 4 \times \square = \square$

❸ $8 \times 6 = \square \times 8 = \square$

각 단의 곱이 아닌 것에 ×표 하세요.

❹ 4단 …… 16 8 22 12 32

❺ 7단 …… 21 51 14 35 63

❻ 8단 …… 32 72 48 26 40

✏️ 빈칸에 알맞은 수를 쓰세요.

⑦ $5 \times 5 = \boxed{}$　⑧ $2 \times \boxed{} = 16$　⑨ $9 \times 7 = \boxed{}$

⑩ $\boxed{} \times 8 = 8$　⑪ $7 \times 9 = \boxed{}$　⑫ $\boxed{} \times 6 = 48$

✏️ 곱이 주어진 수가 되는 두 수를 찾아 색칠하세요.

⑬ 42	⑭ 27	⑮ 64
9	8	7
4	9	8
7	7	9
6	6	8
8	3	9

5회 마무리 평가

4단, 8단 곱셈구구의 수에 모두 ○표 하세요.

❶

4단: 10 18 16 24 30

❷

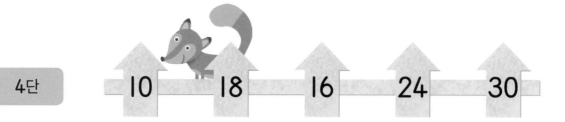

8단: 36 24 42 76 64

곱이 같은 것끼리 선으로 이으세요.

❸

9×4	3×6
4×6	3×8
9×2	6×6

✏️ 빈칸에 알맞은 수를 쓰세요.

④ $8 \times \boxed{} = 32$　⑤ $\boxed{} \times 6 = 18$　⑥ $9 \times \boxed{} = 81$

⑦ $\boxed{} \times 7 = 0$　⑧ $6 \times \boxed{} = 12$　⑨ $\boxed{} \times 7 = 28$

✏️ 수 카드를 한 번씩 모두 사용하여 알맞은 곱셈식을 만드세요.

⑩

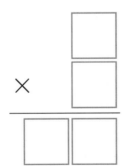

⑪

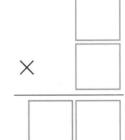

한눈에 모아 보는
곱셈구구표

표를 완성해 보고,
곱셈구구표에
숨은 규칙을
다시 한번 찾아봐.

×	1	2	3	4	5	6	7	8	9
1									
2									
3									
4									
5									
6									
7									
8									
9									

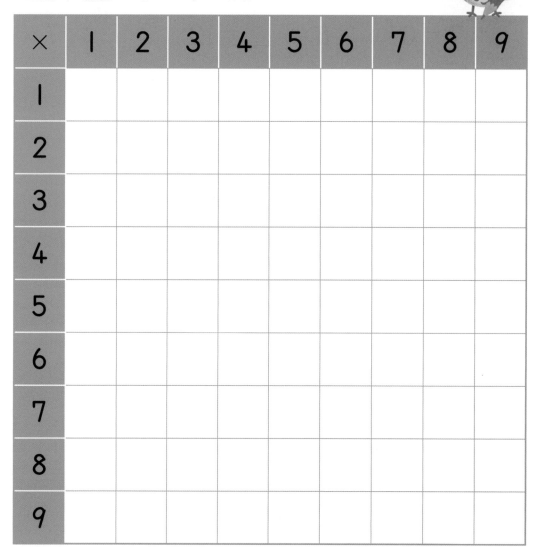

실력 평가

초2_4권

시간	2분	문제 수	20개
배점	1문제 5점 / 총 100점		

날짜: ______ 월 ______ 일

이름: ____________

점수: ________ 점

사고가 자라는 수학

씨투엠

❶ $6 \times 3 =$

❷ $7 \times 8 =$

❸ $3 \times 3 =$

❹ $9 \times 9 =$

❺ $5 \times 7 =$

❻ $8 \times 6 =$

❼ $2 \times 5 =$

❽ $1 \times 7 =$

❾ $9 \times 3 =$

❿ $4 \times 4 =$

⑪ $5 \times 6 =$

⑫ $8 \times 4 =$

⑬ $3 \times 8 =$

⑭ $7 \times 2 =$

⑮ $6 \times 0 =$

⑯ $4 \times 7 =$

⑰ $9 \times 6 =$

⑱ $7 \times 9 =$

⑲ $9 \times 4 =$

⑳ $8 \times 7 =$

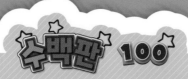

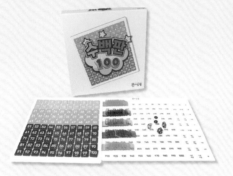

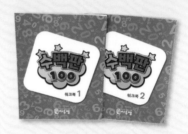

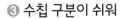

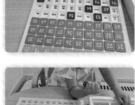

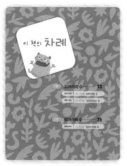

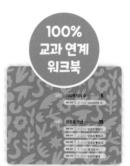

초등 연산의 기준

칸토의 연산

정답

곱셈구구(2)

초2·4권

사고가 자라는 수학
씨투엠

초등 연산의 기준

정답

칸토의 연산

곱셈구구(2)

1주: 4, 8단 곱셈구구

1일 **4단 곱셈구구** 는 2단 곱셈구구에 2를 곱한 수야.

➕ 4단 곱셈구구를 완성하고 4단을 외워 보세요.

4단			
$4 \times 1 =$	4	사일은사
$4 \times 2 =$	8	사이팔
$4 \times 3 =$	12	사삼십이
$4 \times 4 =$	16	사사십육
$4 \times 5 =$	20	사오이십
$4 \times 6 =$	24	사육이십사
$4 \times 7 =$	28	사칠이십팔
$4 \times 8 =$	32	사팔삼십이
$4 \times 9 =$	36	사구삼십육

$4 \times 3 = 12$ (개) $4 \times 5 = 20$ (개)

➕ 4단 곱셈구구의 수를 차례로 선으로 이으세요.

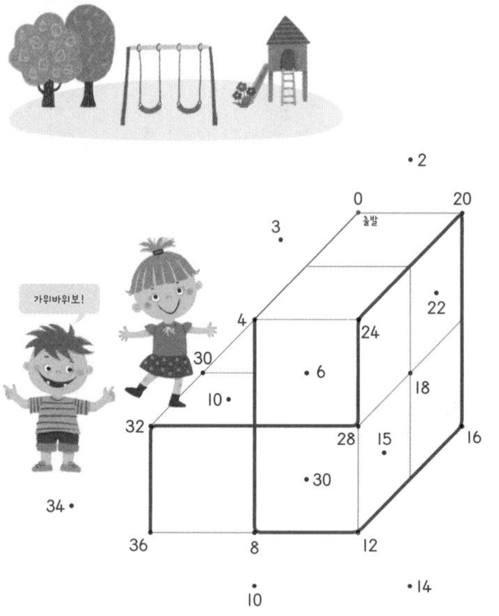

2일 **4단 곱셈구구 연습** 4단도 잘 외웠는지 한번 확인해 볼까요?

➕ 알맞은 곱에 ○표 하세요.

4×4 : (16)
4×7 : (28)
4×5 : (20)
4×3 : (12)
4×9 : (36)
4×6 : (24)

4단 곱셈구구도 모두 짝수야.

➕ 곱셈을 하세요.

$4 \times 3 = 12$ $4 \times 2 = 8$ $4 \times 7 = 28$

$4 \times 1 = 4$ $4 \times 8 = 32$ $4 \times 4 = 16$

	4		4		4
$\times$	9	$\times$	6	$\times$	5
	36		24		20

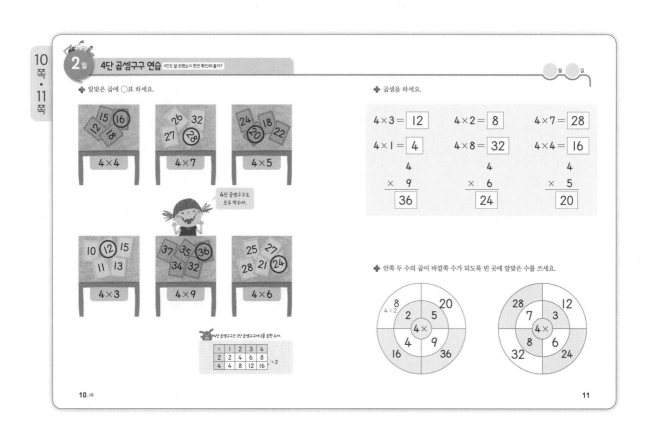

4단 곱셈구구는 2단 곱셈구구에 2를 곱한 수야.

×	1	2	3	4
2	2	4	6	8
4	4	8	12	16

➕ 안쪽 두 수의 곱이 바깥쪽 수가 되도록 빈 곳에 알맞은 수를 쓰세요.

원: 4× 안쪽 2 5 9 4, 바깥쪽 8(4×2) 20 36 16

원: 4× 안쪽 7 3 6 8, 바깥쪽 28 12 24 32

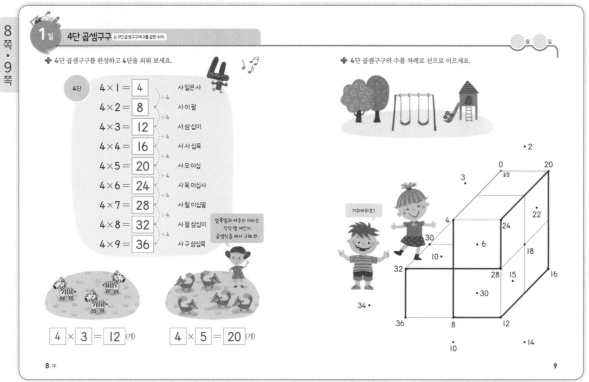

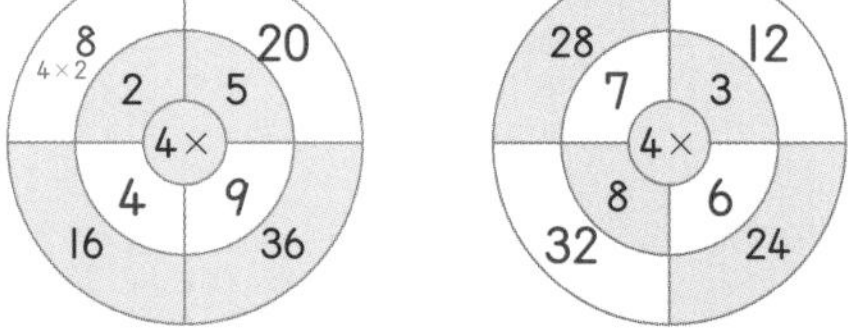

3일 **8단 곱셈구구** 의 일의 자리 수는 2씩 작아져.

월   일

✚ 8단 곱셈구구를 완성하고 8단을 외워 보세요.

8단

$8 \times 1 =$	8	팔일은팔
$8 \times 2 =$	16	팔이십육
$8 \times 3 =$	24	팔삼이십사
$8 \times 4 =$	32	팔사 삼십이
$8 \times 5 =$	40	팔오 사십
$8 \times 6 =$	48	팔육 사십팔
$8 \times 7 =$	56	팔칠오십육
$8 \times 8 =$	64	팔팔육십사
$8 \times 9 =$	72	팔구 칠십이

8을 곱한 수를 선으로 이어 봐.

×8

1 2 3 4 5 6 7

16 40 8 56 32 24 48

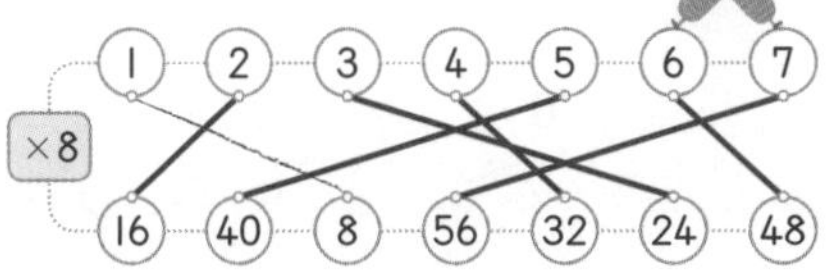

✚ 8단 곱셈구구의 수를 모두 찾아 색칠하세요.

1	2	3	4	5	6	7	8	9	10
11	12	13	14	15	16	17	18	19	20
21	22	23	24	25	26	27	28	29	30
31	32	33	34	35	36	37	38	39	40
41	42	43	44	45	46	47	48	49	50
51	52	53	54	55	56	57	58	59	60
61	62	63	64	65	66	67	68	69	70
71	72								

어떤 규칙이 있는지 찾아봐.

✚ 빈칸에 알맞은 수를 쓰세요.

8
×3	=	24
×7	=	56
×4	=	32

8
×6	=	48
×5	=	40
×9	=	72

4일 **8단 곱셈구구 연습** 팔 육? 팔 팔? 바로 대답할 수 있지?

월   일

✚ 빈칸에 알맞은 수를 쓰세요.

$8 \times 3 = 3 \times 8 = 24$ $8 \times 6 = 6 \times 8 = 48$

$8 \times 5 = 5 \times 8 = 40$ $8 \times 4 = 4 \times 8 = 32$

9단이 담분분은 암하기본 단을 이용할 수 있어.

8단 대신 2단을 이용하기
$8 \times 2 = 2 \times 8 = 16$

✚ 빈칸에 알맞은 수를 쓰세요.

$8 \times 4 = 32$ $8 \times 7 = 56$ $8 \times 2 = 16$

$8 \times 6 = 48$ $8 \times 1 = 8$ $8 \times 5 = 40$

$8 \times 9 = 72$ $8 \times 3 = 24$ $8 \times 8 = 64$

✚ 모양이 같은 도형 안에 곱을 쓰세요.

8×5   8×9
8×4   8×2
8×6

16
72   48
32   40

✚ 8단 곱셈구구의 수에 모두 ○표 하세요.

8단도 모두 짝수야.

58   8   72
24   42
36   63   18   40

8단

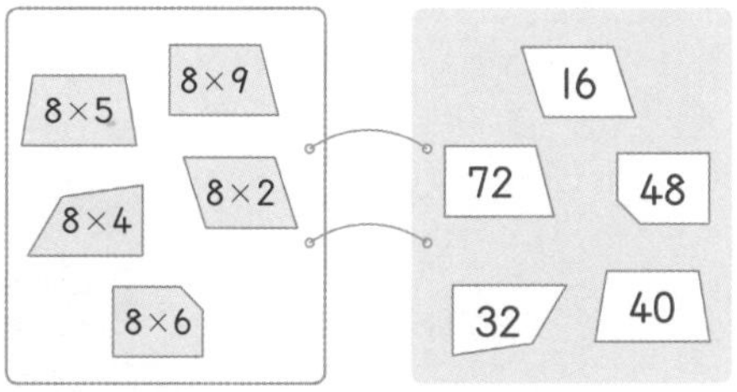

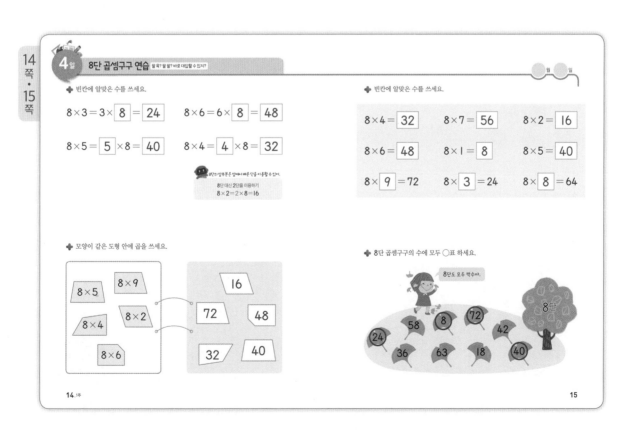

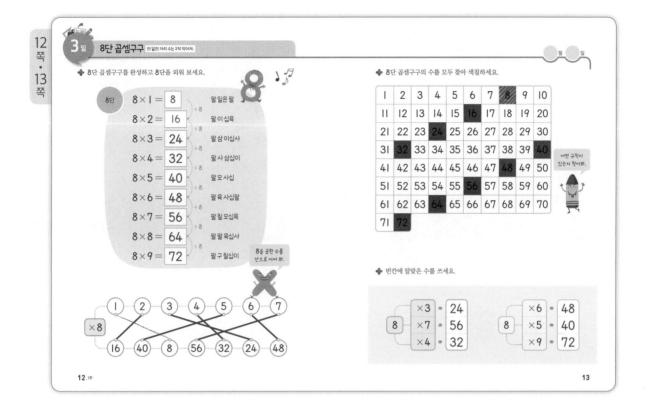

정답

5일 **4, 8단 곱셈구구 연습** 4, 8단 곱셈구구를 거꾸로 외워 봐!

월 일

➕ 4단, 8단 곱셈구구를 거꾸로 완성하고 4단, 8단을 거꾸로 외워 보세요.

4단

$4 \times 9 = 36$
$4 \times 8 = 32$
$4 \times 7 = 28$
$4 \times 6 = 24$
$4 \times 5 = 20$
$4 \times 4 = 16$
$4 \times 3 = 12$
$4 \times 2 = 8$
$4 \times 1 = 4$

8단

$8 \times 9 = 72$
$8 \times 8 = 64$
$8 \times 7 = 56$
$8 \times 6 = 48$
$8 \times 5 = 40$
$8 \times 4 = 32$
$8 \times 3 = 24$
$8 \times 2 = 16$
$8 \times 1 = 8$

사 구 삼십육,
사 팔 삼십이

➕ 주어진 수 중 4단과 8단 곱셈구구에 알맞은 수를 차례로 쓰세요.

	4단		8단
27 12 16 36 20 35 30 24	12 16 20 36 24		16 24

8단 곱셈구구는 4단 곱셈구구에 2를 곱한 수야.

×	1	2	3	4
4	4	8	12	16
8	8	16	24	32

×2

➕ 곱셈표를 완성하세요.

×	7	6	5
4	28	24	20
8	56	48	40

×	2	8	4	9
4	8	32	16	36
8	16	64	32	72

16.1주

17

확인 학습

➕ 개구리와 문어의 다리는 각각 몇 개인지 곱셈식을 써서 구하세요.

$4 \times 5 = 20$ (개) $8 \times 3 = 24$ (개)

➕ 곱셈을 하세요.

$4 \times 7 = 28$ $8 \times 2 = 16$ $4 \times 9 = 36$

$8 \times 5 = 40$ $4 \times 5 = 20$ $8 \times 6 = 48$

➕ 안쪽 두 수의 곱이 바깥쪽 수가 되도록 빈 곳에 알맞은 수를 쓰세요.

(4×) 12 3 24 8 2 32 8
(8×) 72 9 16 2 7 56 32 4

18.1주

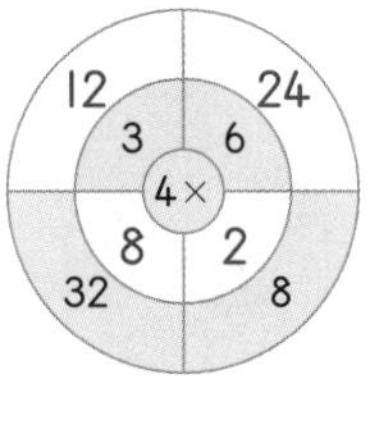

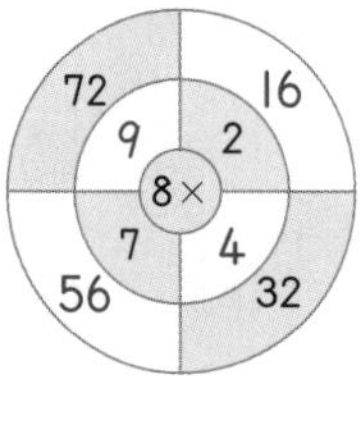

1주

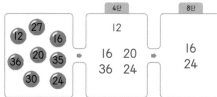

2주: 7, 9단 곱셈구구

1일 7단 곱셈구구 는 규칙이 없어 다른 단보다 외우기 어려워. 더 연습해야 해!

월 일

✚ 7단 곱셈구구를 완성하고 7단을 외워 보세요.

7단	
$7 \times 1 = 7$	칠 일은 칠
$7 \times 2 = 14$	칠 이 십사
$7 \times 3 = 21$	칠 삼 이십일
$7 \times 4 = 28$	칠 사 이십팔
$7 \times 5 = 35$	칠 오 삼십오
$7 \times 6 = 42$	칠 육 사십이
$7 \times 7 = 49$	칠 칠 사십구
$7 \times 8 = 56$	칠 팔 오십육
$7 \times 9 = 63$	칠 구 육십삼

1주일은
월화수목금토일

1주일	2주일	3주일	4주일	5주일	6주일
7일	14일	21일	28일	35일	42일

✚ 올바른 계산 결과를 따라 길을 그리세요.

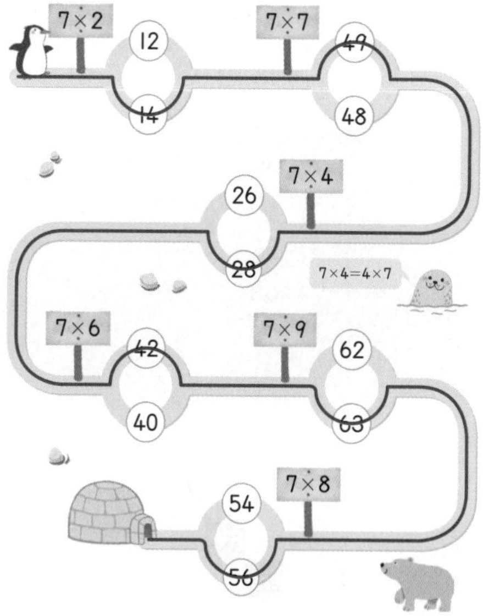

$7 \times 4 = 4 \times 7$

2일 7단 곱셈구구 연습 칠사? 칠팔? 이제 9단 한 단만 남았어. 조금만 더 힘을 내!

월 일

✚ 빈 곳에 알맞은 수를 쓰세요.

$\begin{bmatrix} 7 \times 3 = 21 \\ 7 \times 4 = 28 \end{bmatrix} +7$ $\begin{bmatrix} 7 \times 7 = 49 \\ 7 \times 8 = 56 \end{bmatrix} +7$

$\begin{bmatrix} 7 \times 5 = 35 \\ 7 \times 6 = 42 \end{bmatrix} +7$ $\begin{bmatrix} 7 \times 8 = 56 \\ 7 \times 9 = 63 \end{bmatrix} +7$

✚ 빈칸에 알맞은 수를 쓰세요.

7 × 4 28	7 × 3 21	7 × 9 63
7 × 5 3 5	7 × 8 5 6	7 × 6 4 2

✚ 동물들이 말하는 곱을 모두 찾아 ○표 하세요.

7×2	㉘ 7 63	7×5
7×7	21 ㊾ ⑭	7×4
	㉟ 56 42	

✚ 빈 곳에 알맞은 수를 쓰세요.

21 35
42 3 5 56
7×
칠육

63 14
28 9 2 49
4 7×7

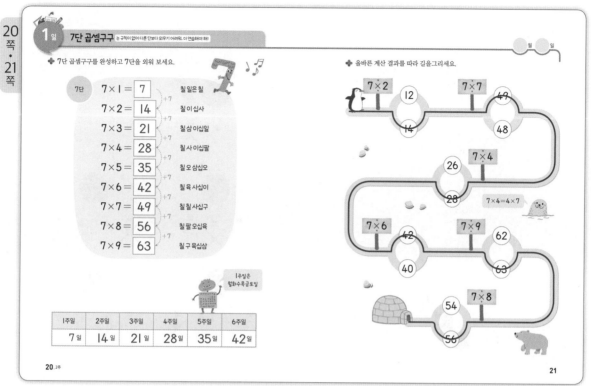

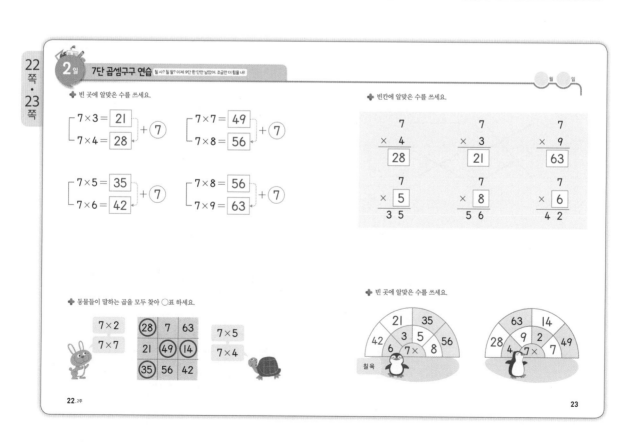

쪽·25
쪽

3일 **9단 곱셈구구** 9,18,27,36 ····· 일의 자리 수가 1씩 작아져.

월 일

✚ 9단 곱셈구구를 완성하고 9단을 외워 보세요.

9단

$9 \times 1 = 9$ 구 일은 구
$9 \times 2 = 18$ 구 이 십팔
$9 \times 3 = 27$ 구 삼 이십칠
$9 \times 4 = 36$ 구 사 삼십육
$9 \times 5 = 45$ 구 오 사십오
$9 \times 6 = 54$ 구 육 오십사
$9 \times 7 = 63$ 구 칠 육십삼
$9 \times 8 = 72$ 구 팔 칠십이
$9 \times 9 = 81$ 구구 팔십일

1	2	3	4	5	6	7	8	9	10
11	12	13	14	15	16	17	18	19	20
21	22	23	24	25	26	27	28	29	30
31	32	33	34	35	36	37	38	39	40

9단 곱셈구구의 수에 색칠해 봐. 어떤 규칙이 있어?

✚ 알맞은 곱에 ×표 하세요.

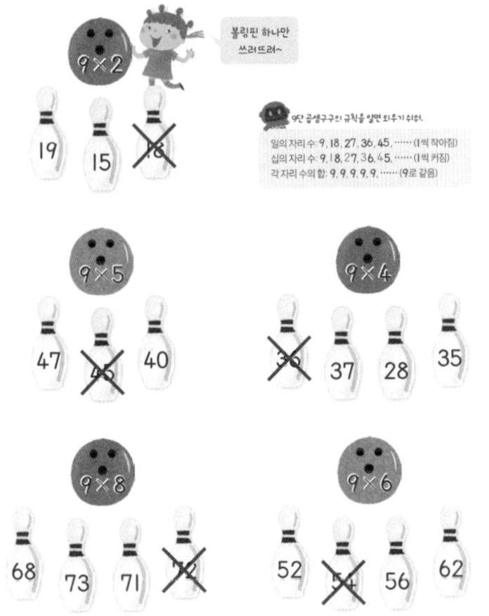

볼링핀 하나만 쓰러트려~

9단 곱셈구구의 규칙을 살펴 외우기 쉬워요.
일의 자리 수: 9, 18, 27, 36, 45, ····· (1씩 작아짐)
십의 자리 수: 9, 18, 27, 36, 45, ····· (1씩 커짐)
각 자리 수의 합: 9, 9, 9, 9, ····· (9로 같음)

9×2
19 15 ~~8~~

9×5
47 ~~45~~ 40

9×4
~~36~~ 37 28 35

9×8
68 73 71 ~~72~~

9×6
52 ~~54~~ 56 62

24.2주

25

26
쪽·27
쪽

4일 **9단 곱셈구구 연습** 9,18,27,36 ····· 십의 자리 수는 1씩 커져.

월 일

✚ 곱이 같은 것끼리 선으로 이으세요.

9×5 — 54 — 6 × 9
9×2 — 45 — 2 × 9
9×6 — 18 — 5 × 9

✚ 길이가 같은 블록을 찾아 곱을 쓰세요.

구삼?

9×4 9×6
9×8
9×7 9×3

27
36
54
63
72

✚ 빈칸에 알맞은 수를 쓰세요.

$9 \times 2 = 18$ $9 \times 8 = 72$ $9 \times 5 = 45$
$9 \times 9 = 81$ $9 \times 4 = 36$ $9 \times 7 = 63$

✚ 곱셈에 알맞은 길을 그리세요.

3
$9 \times 4 = 45$
5

2
$9 \times 3 = 27$
4

7
$9 \times 8 = 63$
9

9
$9 \times 8 = 54$
6

26.2주

27

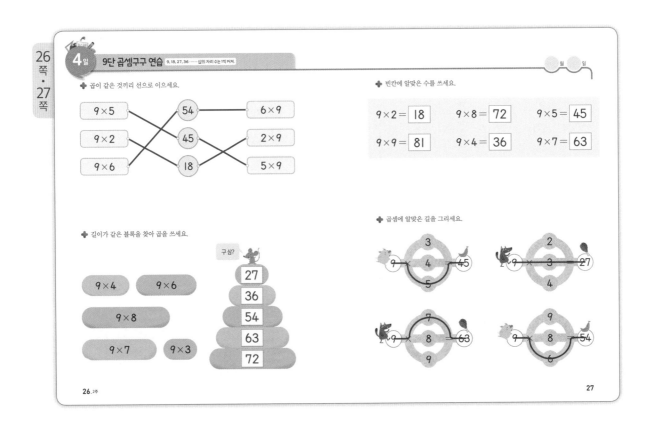

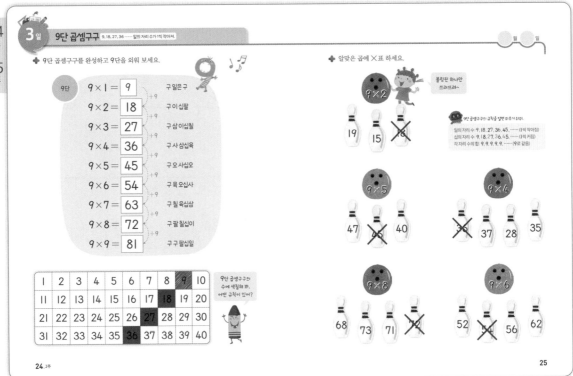

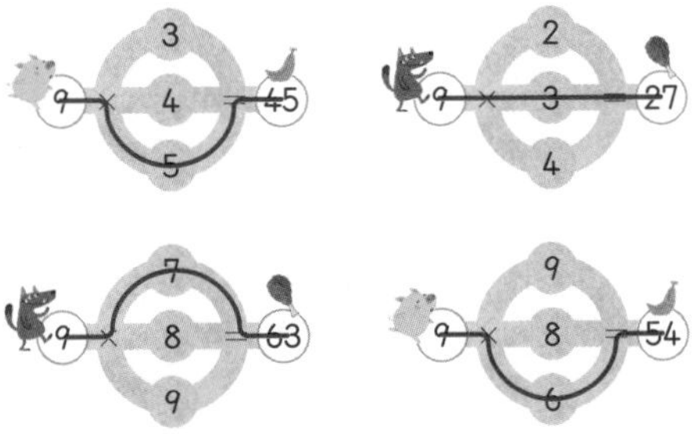

5일 7, 9단 곱셈구구 연습 7, 9단 곱셈구구를 거꾸로 외워 봐!

월 일

✚ 7단, 9단 곱셈구구를 거꾸로 완성하고 7단, 9단을 거꾸로 외워 보세요.

7단

7×9 = 63
7×8 = 56
7×7 = 49
7×6 = 42
7×5 = 35
7×4 = 28
7×3 = 21
7×2 = 14
7×1 = 7

9단

9×9 = 81
9×8 = 72
9×7 = 63
9×6 = 54
9×5 = 45
9×4 = 36
9×3 = 27
9×2 = 18
9×1 = 9

칠 구 육십삼,
칠 팔 오십육

✚ 빈칸에 알맞은 수를 쓰세요.

7×5 = 35   9×6 = 54   7×8 = 56
9×3 = 27   7×4 = 28   9×7 = 63
7× 2 = 14   9× 9 = 81   7× 7 = 49

✚ 7단, 9단 곱셈구구의 수를 모두 찾아 색칠하세요.

13	54	27	61	32
21	64	14	63	56
7	34	42	52	18
49	28	35	45	57

28	36	64	45	28
17	72	56	18	71
84	9	35	63	57
42	54	27	81	62

확인 학습

✚ 곱셈에 알맞은 길을 그리세요.

✚ 빈 곳에 알맞은 수를 쓰세요.

7×4 = 28
7×5 = 35   + 7

9×6 = 54
9×7 = 63   + 9

✚ 빈칸에 알맞은 수를 쓰세요.

7×2 = 14   9×8 = 72   7×6 = 42
9× 5 = 45   7× 9 = 63   9× 3 = 27

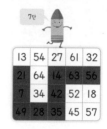

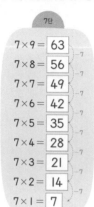

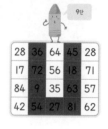

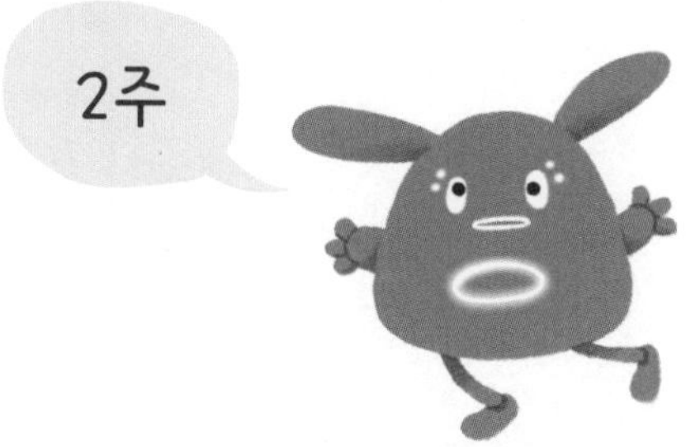

3주: 4, 7, 8, 9단과 곱셈구구 종합(1)

1일 4, 7, 8, 9단 곱셈구구 연습(1) 각 단의 곱셈구구가 맞는지 판단해 봐!

월 일

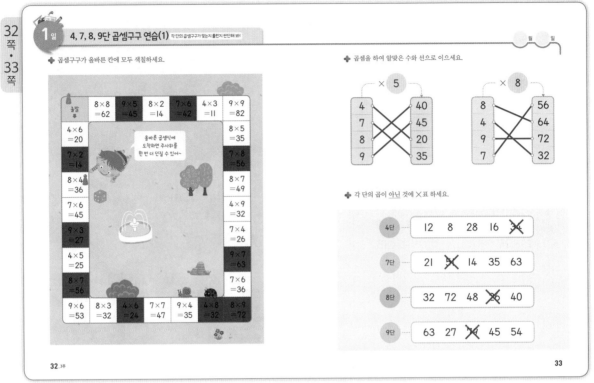

2일 4, 7, 8, 9단 곱셈구구 연습(2) 7, 8, 9단은 친구들이 어려워하는 단이야. 충분히 연습해!

월 일

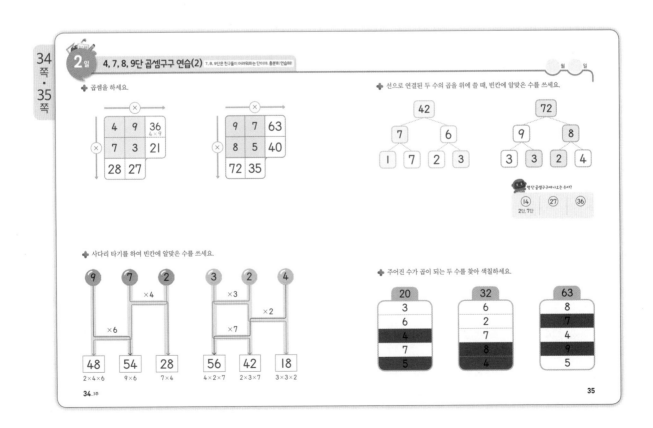

36쪽 · 37쪽

3일 곱셈구구표와 1, 0의 곱 곱셈구구표를 보고 규칙을 찾아봐.

월 일

✚ 빈칸에 알맞은 수를 넣어 곱셈구구표를 완성하세요.

×	0	1	2	3	4	5	6	7	8	9
0	0	0	0	0	0	0	0	0	0	0
1	0	1	2	3	4	5	6	7	8	9
2	0	2	4	6	8	10	12	14	16	18
3	0	3	6	9	12	15	18	21	24	27
4	0	4	8	12	16	20	24	28	32	36
5	0	5	10	15	20	25	30	35	40	45
6	0	6	12	18	24	30	36	42	48	54
7	0	7	14	21	28	35	42	49	56	63
8	0	8	16	24	32	40	48	56	64	72
9	0	9	18	27	36	45	54	63	72	81

(3×2)

규칙
- ★ 단 곱셈구구에서 곱하는 수가 1씩 커지면 그 곱은 ★ 씩 커집니다.
- 대각선(↘)에 있는 수들은 모두 한 번씩만 나옵니다. (0 제외)
- 0과 어떤 수의 곱은 항상 0입니다.
- 1과 어떤 수의 곱은 항상 어떤 수 자기 자신입니다.

✚ 빈칸에 알맞은 수를 쓰세요.

6×[0]=0　2×[0]=0　[0]×7=0

4×[1]=4　9×[1]=9　[1]×6=6

1은 곱하나마나, 0은 곱하면 모두 0.

■×1=1×■=■ | 0×▲=▲×0=0

✚ 곱셈표를 완성하세요.

×	4	7	8
0	0	0	0
1	4	7	8
2	8	14	16

×	8	6	7
3	24	18	21
6	48	36	42
9	72	54	63

38쪽 · 39쪽

4일 시간 재어 곱셈구구 외우기 1분 30초 안에 다 외울 수 있어야 해.

월 일

✚ 곱셈구구를 2단부터 9단까지 1분 30초 안에 외워 보세요.

2단
2×1=2
2×2=4
2×3=6
2×4=8
2×5=10
2×6=12
2×7=14
2×8=16
2×9=18

3단
3×1=3
3×2=6
3×3=9
3×4=12
3×5=15
3×6=18
3×7=21
3×8=24
3×9=27

4단
4×1=4
4×2=8
4×3=12
4×4=16
4×5=20
4×6=24
4×7=28
4×8=32
4×9=36

5단
5×1=5
5×2=10
5×3=15
5×4=20
5×5=25
5×6=30
5×7=35
5×8=40
5×9=45

6단
6×1=6
6×2=12
6×3=18
6×4=24
6×5=30
6×6=36
6×7=42
6×8=48
6×9=54

7단
7×1=7
7×2=14
7×3=21
7×4=28
7×5=35
7×6=42
7×7=49
7×8=56
7×9=63

8단
8×1=8
8×2=16
8×3=24
8×4=32
8×5=40
8×6=48
8×7=56
8×8=64
8×9=72

9단
9×1=9
9×2=18
9×3=27
9×4=36
9×5=45
9×6=54
9×7=63
9×8=72
9×9=81

도전	1회	2회	3회
시간	분 초	분 초	분 초

✚ 시간을 재어 곱셈을 하세요.

4×6=[24]	3×4=[12]	5×3=[15]
2×2=[4]	8×2=[16]	4×8=[32]
5×9=[45]	6×6=[36]	7×6=[42]
7×4=[28]	5×1=[5]	9×8=[72]
6×5=[30]	9×9=[81]	2×5=[10]
3×8=[24]	4×3=[12]	8×7=[56]
9×3=[27]	7×7=[49]	3×9=[27]
7×8=[56]	8×6=[48]	6×4=[24]

____분 ____초

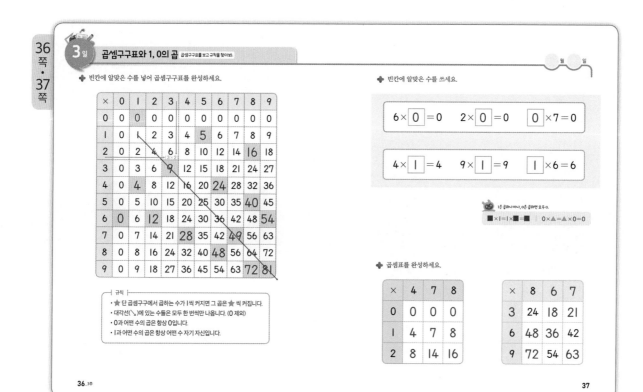

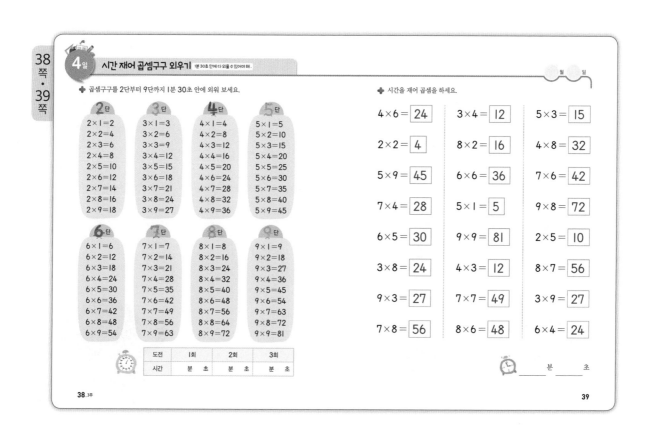

정답

40쪽 · 41쪽

5일 시간 재어 곱셈구구 거꾸로 외우기 까지 잘하면 이제 너도 곱셈구구 실력자야.

월 일

✚ 곱셈구구를 거꾸로 9단부터 2단까지 2분 안에 외워 보세요.

9단	8단	7단	6단
9×9=81	8×9=72	7×9=63	6×9=54
9×8=72	8×8=64	7×8=56	6×8=48
9×7=63	8×7=56	7×7=49	6×7=42
9×6=54	8×6=48	7×6=42	6×6=36
9×5=45	8×5=40	7×5=35	6×5=30
9×4=36	8×4=32	7×4=28	6×4=24
9×3=27	8×3=24	7×3=21	6×3=18
9×2=18	8×2=16	7×2=14	6×2=12
9×1=9	8×1=8	7×1=7	6×1=6

5단	4단	3단	2단
5×9=45	4×9=36	3×9=27	2×9=18
5×8=40	4×8=32	3×8=24	2×8=16
5×7=35	4×7=28	3×7=21	2×7=14
5×6=30	4×6=24	3×6=18	2×6=12
5×5=25	4×5=20	3×5=15	2×5=10
5×4=20	4×4=16	3×4=12	2×4=8
5×3=15	4×3=12	3×3=9	2×3=6
5×2=10	4×2=8	3×2=6	2×2=4
5×1=5	4×1=4	3×1=3	2×1=2

도전	1회	2회	3회
시간	분 초	분 초	분 초

✚ 두 사람이 '구구단을 외자' 게임을 합니다. 빈 곳에 알맞은 수를 쓰세요.

구구단을 외자~
구구단을 외자~

이팔 → 54 → 칠사 → 27 → 육팔

16 → 구육 → 28 → 삼구 → 48

구구단을 외자~
구구단을 외자~

✚ 모두 몇 개 틀렸을까요? 틀린 것에 모두 /표 하세요. 5개

① 4×5=20	② 7×2=14	③ 3×6=15 (18)
④ 8×7=56	⑤ 5×9=45	⑥ 8×4=32
⑦ 2×9=18	⑧ 9×6=52 (54)	⑨ 4×7=26 (28)
⑩ 9×8=76 (72)	⑪ 6×3=18	⑫ 7×5=45 (35)

42쪽

확인 학습

✚ 곱셈을 하세요.

6×6=36	4×8=32	9×7=63
3×5=15	5×0=0	2×9=18
1×7=7	8×6=48	7×6=42

✚ 앞의 두 수의 곱이 다음 수가 되도록 빈칸에 알맞은 수를 쓰세요.

01 0 − 39 2 7 − 84 3 2

곱셈구구로 전화번호를 만들었어.

✚ 주어진 수가 곱이 되는 두 수를 찾아 색칠하세요.

56: 6, **8**, 4, **7**, 9

24: 5, 3, 9, **6**, **4**

3주

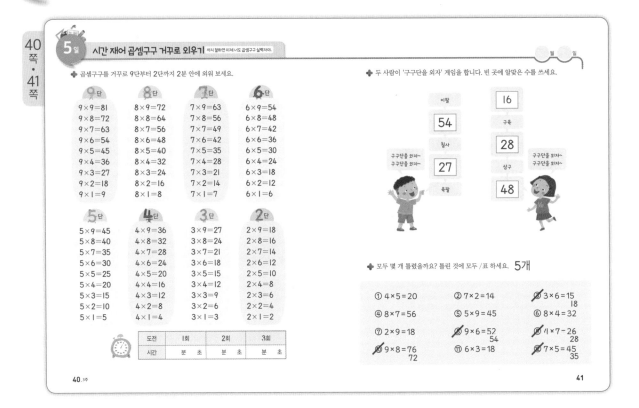

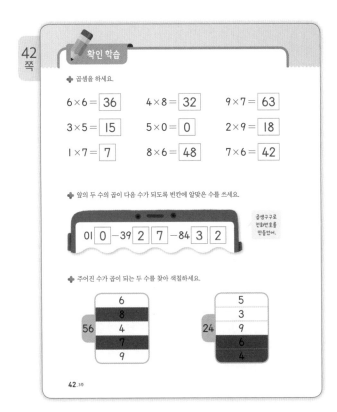

1일 ☐ **구하기** 각 단의 곱셈구구를 이용하여 가로, 세로 퍼즐을 풀어 봐.

월 일

✚ 가로 열쇠와 세로 열쇠를 이용하여 퍼즐을 완성하세요.

가로 ①4×6

세로 ⑧2×9

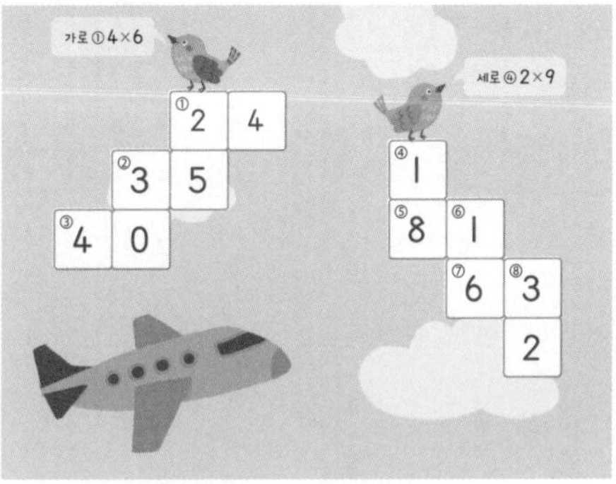

가로 열쇠	세로 열쇠
①4×6	①5×5
②7×5	②6×5
③8×5	④2×9
⑤9×9	⑥4×4
⑦7×9	⑧8×4

✚ 빈칸에 알맞은 수를 쓰세요.

$4 \times \boxed{6} = 24$ $8 \times \boxed{4} = 32$ $7 \times \boxed{8} = 56$

$\boxed{3} \times 6 = 18$ $\boxed{9} \times 9 = 81$ $\boxed{6} \times 5 = 30$

✚ 선으로 이어진 두 수의 곱이 아래의 수가 되도록 빈칸에 알맞은 수를 쓰세요.

4	5	7
×	×
20	35

7	3	9
×	×
21	27

8	8	6
×	×
64	48

6	7	4
×	×
42	28

2일 **두 수의 곱 찾기** 땡땡은 32. 땡땡은 뭐야?

월 일

✚ 주어진 세 수 중 두 수의 곱으로 나올 수 있는 수를 모두 찾아 ✕표 하세요.

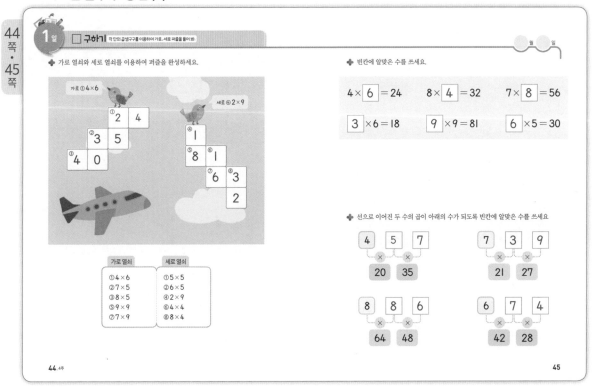

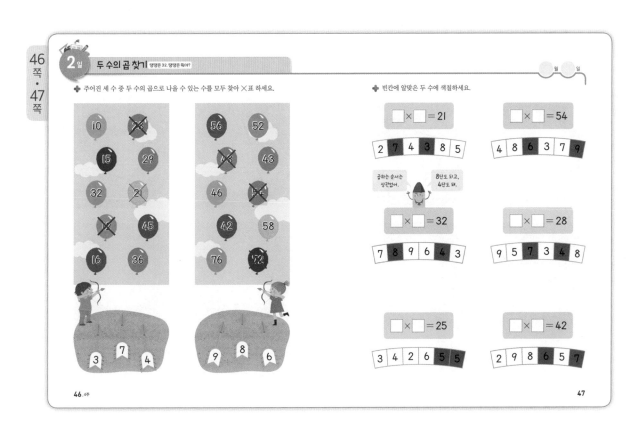

3   7   4

9   8   6

✚ 빈칸에 알맞은 두 수에 색칠하세요.

$\boxed{} \times \boxed{} = 21$

2 7 4 3 8 5

$\boxed{} \times \boxed{} = 54$

4 8 6 3 7 9

곱하는 순서는 상관없어.

8단도 되고, 4단도 돼.

$\boxed{} \times \boxed{} = 32$

7 8 9 6 4 3

$\boxed{} \times \boxed{} = 28$

9 5 7 3 4 8

$\boxed{} \times \boxed{} = 25$

3 4 2 6 5 5

$\boxed{} \times \boxed{} = 42$

2 9 8 6 5 7

48쪽 · 49쪽

3일 곱이 같은 곱셈구구 도 있는데 알고 있니? 곱이 같은 경우는 몇 가지나 될까?

월 일

✚ 곱이 같은 곱셈구구를 모두 찾아 쓰세요.

21

$3 \times 7 = 21$

$7 \times 3 = 21$

36

$4 \times 9 = 36$

$6 \times 6 = 36$

$9 \times 4 = 36$

곱하는 순서를
바꾸어도 곱은 같아.

18

$2 \times 9 = 18$

$3 \times 6 = 18$

$6 \times 3 = 18$

$9 \times 2 = 18$

24

$3 \times 8 = 24$

$4 \times 6 = 24$

$6 \times 4 = 24$

$8 \times 3 = 24$

✚ 곱이 왼쪽 수가 되도록 가로 또는 세로로 이웃한 두 수를 모두 찾아 묶으세요.

16

8	3	(4	4)
4	5	(8)	5
7	3	(2)	4
(2	8)	6	5

42

5	(6)	6	9
4	(7)	5	8
9	5	8	2
3	8	(7	6)

✚ 곱이 같은 것끼리 선으로 이으세요.

2×9 — 4×9

4×3 — 3×6

8×7 — 6×2

4×6 — 8×3

6×6 — 7×8

48.4주

49

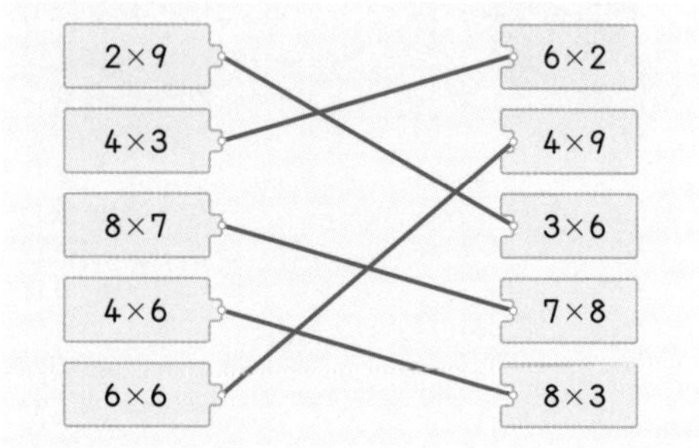

50쪽 · 51쪽

4일 곱셈구구의 일의 자리 수 는 어떤 규칙이 있는지 그림을 그려 찾아봐.

월 일

✚ 각 단의 곱셈구구 값의 일의 자리 수를 차례로 선으로 이으세요.

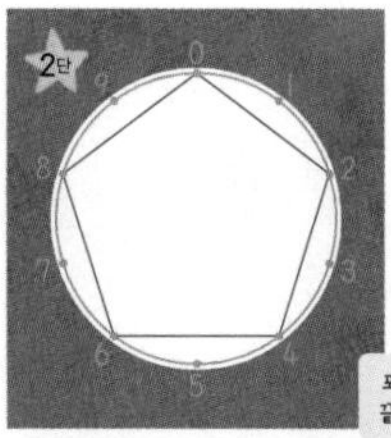

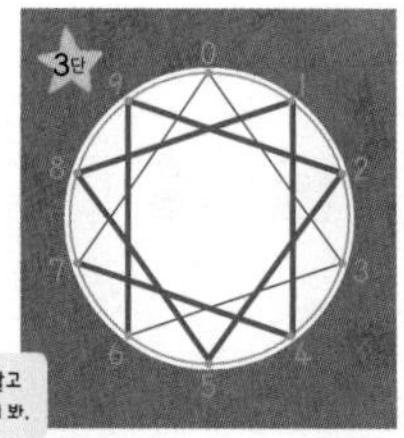

포기하지 말고
끝까지 그려 봐.

8단은 어떤 단의
모양과 같지?

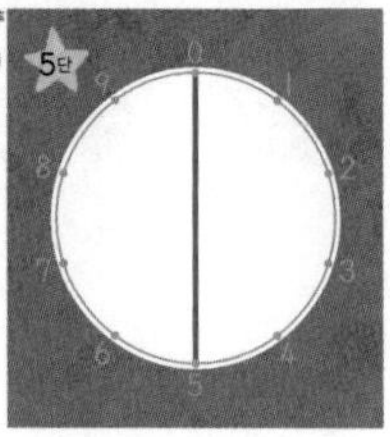

┌ 규칙 ┐
• 2단의 일의 자리 수는 2, 4, 6, 8, 0 다섯 개의 수가 차례로 반복되요.
• 5단의 일의 자리 수는 5와 0만 나와요.

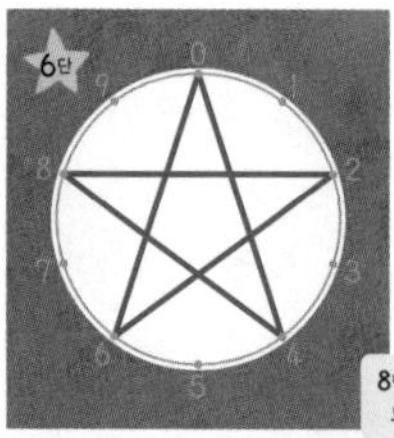

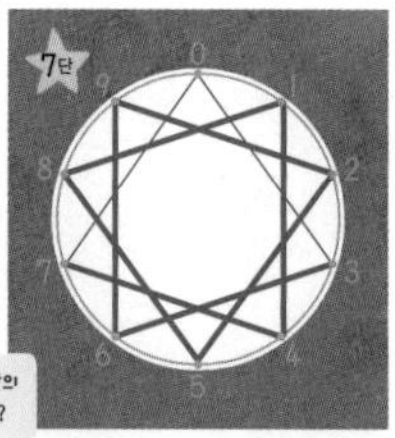

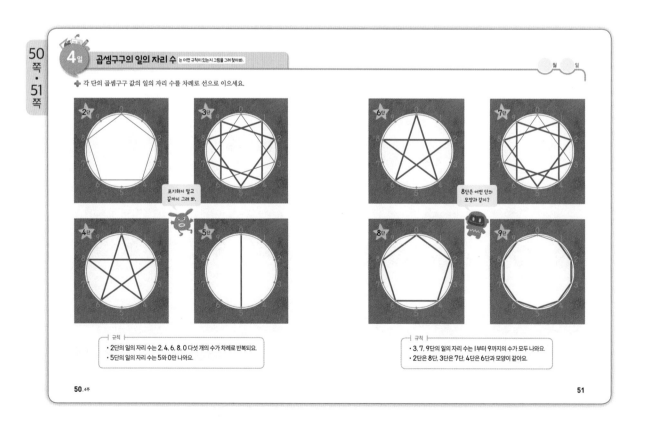

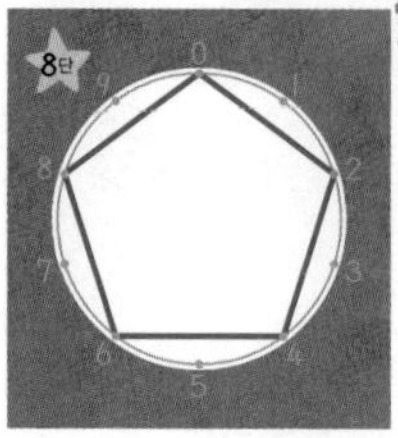

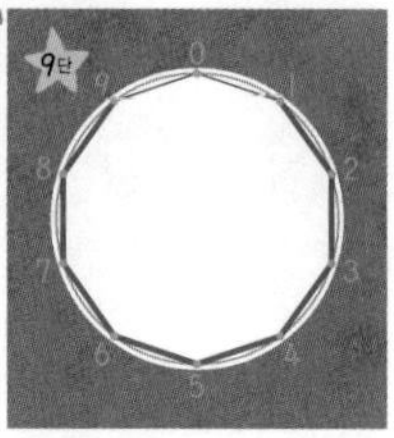

┌ 규칙 ┐
• 3, 7, 9단의 일의 자리 수는 1부터 9까지의 수가 모두 나와요.
• 2단은 8단, 3단은 7단, 4단은 6단과 모양이 같아요.

50.4주

51

5일 **벌레 먹은 곱셈구구** 곱의 일의 자리 수를 보면 어떤 수를 곱했는지 예상할 수 있어.

월 일

빈 곳에 알맞은 수를 쓰세요.

$$\begin{array}{r} 3 \\ \times\ 4 \\ \hline 1\ 2 \end{array}$$

$$\begin{array}{r} 4 \\ \times\ 4 \\ \hline 1\ 6 \end{array}$$

$$\begin{array}{r} 4 \\ \times\ 9 \\ \hline 3\ 6 \end{array}$$

$$\begin{array}{r} 9 \\ \times\ 3 \\ \hline 2\ 7 \end{array}$$

$$\begin{array}{r} 8 \\ \times\ 5 \\ \hline 4\ 0 \end{array}$$

$$\begin{array}{r} 7 \\ \times\ 7 \\ \hline 4\ 9 \end{array}$$

$$\begin{array}{r} 6 \\ \times\ 4 \\ \hline 2\ 4 \end{array}$$

$$\begin{array}{r} 6 \\ \times\ 9 \\ \hline 5\ 4 \end{array}$$

4단 곱셈구구에서 곱의 일의 자리 숫자가 같이 되는 경우는 2가지야.

$$\begin{array}{r} 4 \\ \times\ 2 \\ \hline 8 \end{array}$$
$$\begin{array}{r} 4 \\ \times\ 7 \\ \hline 2\ 8 \end{array}$$

수 카드를 한 번씩 모두 사용하여 알맞은 곱셈식을 만드세요.

8 2 3 4 × 4 8 / 3 2

0 6 5 3 × 6 5 / 3 0

곱하는 두 수의 순서가 바뀌어도 정답입니다.

2 4 7 8 × 4 7 / 2 8

짝수를 곱하면 항상 짝수야.
●×(짝수)=(짝수)
(홀수)×(홀수)=(홀수)

6 4 5 9 → 6 × 9 = 5 4

1 2 3 7 → 7 × 3 = 2 1

확인 학습

빈칸에 알맞은 수를 쓰세요.

$4 \times \boxed{4} = 16 \qquad 7 \times \boxed{8} = 56 \qquad 5 \times \boxed{6} = 30$

$\boxed{9} \times 3 = 27 \qquad \boxed{8} \times 8 = 64 \qquad \boxed{3} \times 3 = 9$

곱이 왼쪽 수가 되도록 가로 또는 세로로 이웃한 두 수를 모두 찾아 묶으세요.

24

7	6	2	9
4	3	9	8
6	5	9	3
3	8	6	4

수 카드를 한 번씩 모두 사용하여 알맞은 곱셈식을 만드세요.

3 7 6 9 → 7 × 9 = 6 3

2 6 4 4 → 6 × 4 = 2 4

곱하는 두 수의 순서가 바뀌어 도 정답입니다.

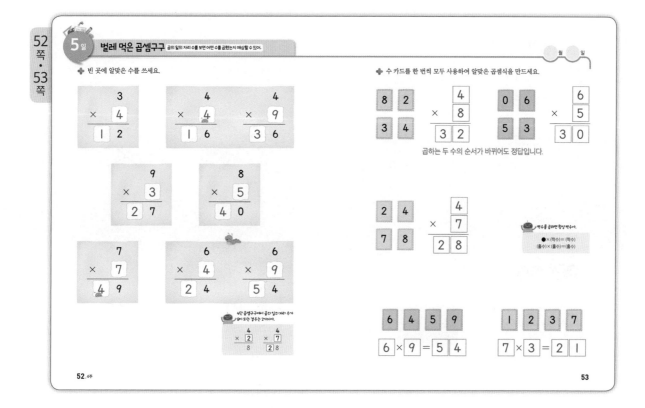

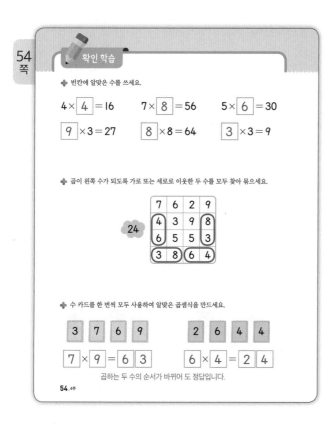

마무리 평가

1 회 **마무리 평가**

제한 시간: 5분 | 맞은 개수: /8개

🖉 개구리와 문어의 다리는 각각 몇 개인지 곱셈식을 써서 구하세요.

❶ $4 \times 4 = 16$ (개)

❷ $8 \times 5 = 40$ (개)

🖉 빈칸에 알맞은 수를 쓰세요.

❺ × 3

4	24
7	21
8	27
9	12

❻ × 9

9	36
4	63
8	81
7	72

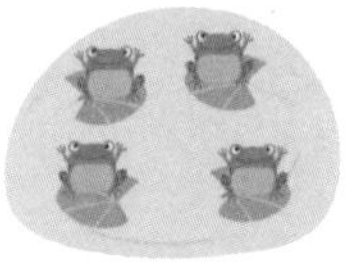

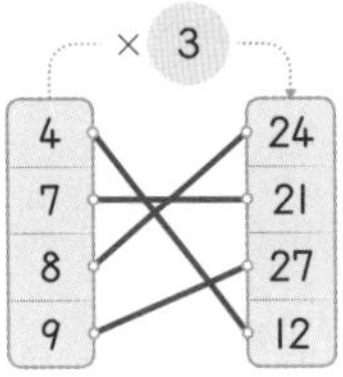

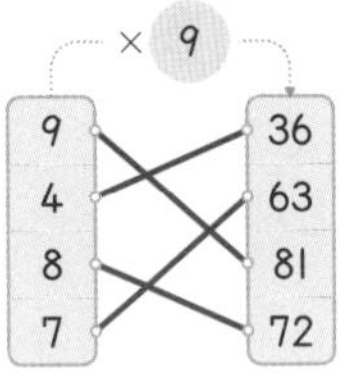

🖉 곱셈구구가 알맞은 칸에 모두 색칠하세요.

❸
$8 \times 4 = 32$
$3 \times 7 = 25$
$6 \times 5 = 30$
$4 \times 8 = 36$

❹
$5 \times 5 = 15$
$8 \times 5 = 42$
$4 \times 6 = 24$
$6 \times 7 = 42$

🖉 선으로 이어진 두 수의 곱이 아래의 수가 되도록 빈칸에 알맞은 수를 쓰세요.

❼
| 7 | 6 | 6 |
× ×
42 36

❽
| 9 | 8 | 4 |
× ×
72 32

2 회 **마무리 평가**

제한 시간: 5분 | 맞은 개수: /13개

🖉 알맞은 곱에 ○표 하세요.

❶
28 (24)
26 23
4×6

❷
64 52
59 (56)
8×7

❸
(36) 38
56 34
4×9

🖉 빈칸에 알맞은 수를 쓰세요.

❻ $8 \times 8 = 64$

❼ $7 \times 3 = 21$

❽ $6 \times 4 = 24$

❾
  1
× 5
  5

❿
  9
× 6
5 4

⓫
  4
× 8
3 2

🖉 빈 곳에 알맞은 수를 쓰세요.

❹
$7 \times 5 = 35$
$7 \times 6 = 42$ $+ 7$

❺
$9 \times 4 = 36$
$9 \times 5 = 45$ $+ 9$

🖉 빈칸에 알맞은 두 수에 색칠하세요.

⓬ □ × □ = 56
9 **7** 4 6 **8** 5

⓭ □ × □ = 28
6 8 **4** 5 9 **7**

3회 마무리 평가

제한 시간: 5분 | 맞은 개수: /12개

✎ 곱셈에 알맞은 길을 그리세요.

① 7 8 32 9 (4 × 8 = 32)

② 9 7 64 8

✎ 빈칸에 알맞은 수를 쓰세요.

⑤ $8 \times 3 = \boxed{24}$　⑥ $4 \times 4 = \boxed{16}$　⑦ $3 \times 0 = \boxed{0}$

⑧ $7 \times \boxed{6} = 42$　⑨ $9 \times \boxed{3} = 27$　⑩ $6 \times \boxed{7} = 42$

✎ 알맞은 곱에 ✕표 하세요.

③ 7×7　52　46　48　~~49~~

④ 9×6　47　~~54~~　40　68

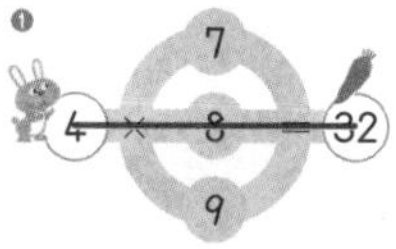

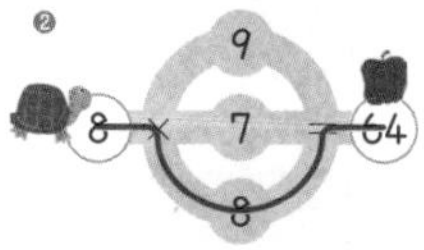

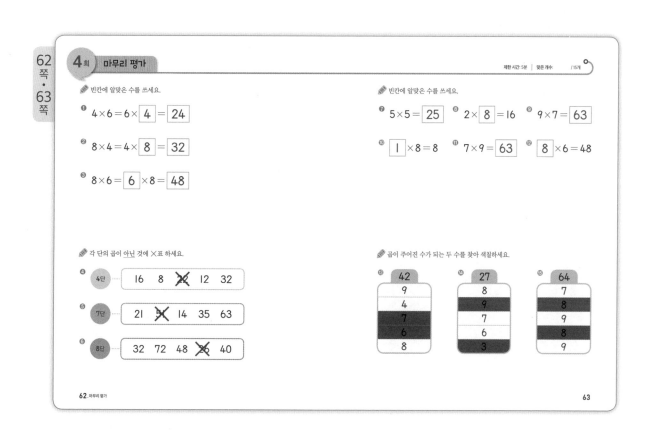

✎ 주어진 수가 곱이 되도록 이웃한 두 수를 가로 또는 세로로 모두 찾아 묶으세요.

⑪ 12

⑫ 36

4회 마무리 평가

제한 시간: 5분 | 맞은 개수: /15개

✎ 빈칸에 알맞은 수를 쓰세요.

① $4 \times 6 = 6 \times \boxed{4} = \boxed{24}$

② $8 \times 4 = 4 \times \boxed{8} = \boxed{32}$

③ $8 \times 6 = \boxed{6} \times 8 = \boxed{48}$

✎ 빈칸에 알맞은 수를 쓰세요.

⑦ $5 \times 5 = \boxed{25}$　⑧ $2 \times \boxed{8} = 16$　⑨ $9 \times 7 = \boxed{63}$

⑩ $\boxed{1} \times 8 = 8$　⑪ $7 \times 9 = \boxed{63}$　⑫ $\boxed{8} \times 6 = 48$

✎ 각 단의 곱이 아닌 것에 ✕표 하세요.

④ 4단　16　8　~~24~~　12　32

⑤ 7단　21　~~16~~　14　35　63

⑥ 8단　32　72　48　~~36~~　40

✎ 곱이 주어진 수가 되는 두 수를 찾아 색칠하세요.

⑬ 42　9　4　7　6　8

⑭ 27　8　9　7　6　3

⑮ 64　7　8　9　8　9

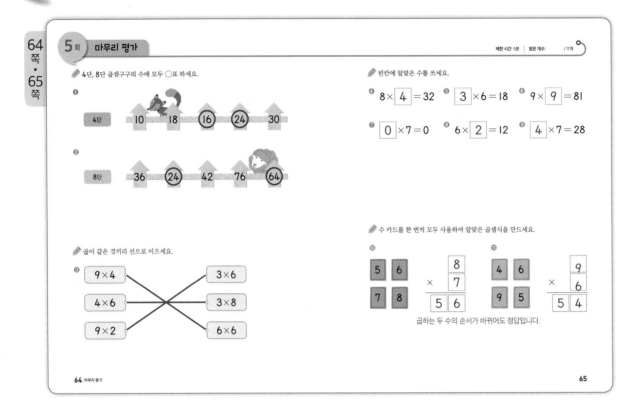

쪽
·
65
쪽

5회 마무리 평가

제한 시간: 5분 | 맞은 개수: / 11개

4단, 8단 곱셈구구의 수에 모두 ◯표 하세요.

❶ 4단 10 18 ⑯ ㉔ 30

❷ 8단 36 ㉔ 42 76 ㉚

곱이 같은 것끼리 선으로 이으세요.

❸
9×4 ——— 3×6
4×6 ——— 3×8
9×2 ——— 6×6

빈칸에 알맞은 수를 쓰세요.

❹ 8 × [4] = 32   ❺ [3] × 6 = 18   ❻ 9 × [9] = 81

❼ [0] × 7 = 0   ❽ 6 × [2] = 12   ❾ [4] × 7 = 28

수 카드를 한 번씩 모두 사용하여 알맞은 곱셈식을 만드세요.

❿ 5 6 7 8
  8
× 7
─────
5 6

⓫ 4 6 9 5
  9
× 6
─────
5 4

곱하는 두 수의 순서가 바뀌어도 정답입니다.

64. 마무리 평가   65

실력 평가

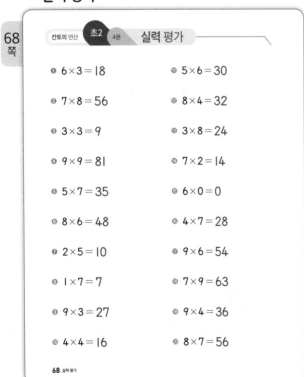

68
쪽

초2 4권 **실력 평가**

❶ 6×3 = 18   ⓫ 5×6 = 30
❷ 7×8 = 56   ⓬ 8×4 = 32
❸ 3×3 = 9   ⓭ 3×8 = 24
❹ 9×9 = 81   ⓮ 7×2 = 14
❺ 5×7 = 35   ⓯ 6×0 = 0
❻ 8×6 = 48   ⓰ 4×7 = 28
❼ 2×5 = 10   ⓱ 9×6 = 54
❽ 1×7 = 7   ⓲ 7×9 = 63
❾ 9×3 = 27   ⓳ 9×4 = 36
❿ 4×4 = 16   ⓴ 8×7 = 56

68. 실력 평가

칸토의 연산

The essence of mathematics lies in its freedom.

수학의 본질은 그 자유로움에 있다.

Georg Cantor(1845 ~ 1918)

모 델 명: 칸토의 연산
제조년월: 2022년 12월 | **제조자명** : ㈜씨투엠에듀
주소 및 전화번호 : 경기도 수원시 장안구 파장로 7(태영빌딩 3층) / 031-548-1191
제조국명: 한국 | **사용연령** : 만 3세 이상

홈페이지 : www.c2medu.co.kr | **지원카페** : cafe.naver.com/fieldsm